Julia PACI

Trajectoires Trans à Tahiti

Préface de Serge Tcherkézoff

Illustrations de Danielle Emmanuelle VAZQUEZ

ISBN :978-2-491152-18-5

 Api Tahiti éditions et diffusion
BP 4500 – 98713 Papeete – Tahiti
Polynésie française
contact@apitahiti.com

Julia PACIFICO

Trajectoires Trans à Tahiti

Préface de Serge Tcherkézoff

Collection Sciences sociales

sous la direction de
Christian GHASARIAN

À mon amie qui a rendu toute cette histoire possible

Préface
Savoir écouter les « Trans » de Tahiti

S'il est un groupe social qui a donné lieu, dans la littérature occidentale-globale, à un nombre incalculable de commentaires, journalistiques et même académiques, par l'écriture ou par l'image, ce sont bien les « Trans » polynésiens (je conserve la terminologie de l'auteure), appelés d'abord, dans les années 1970, des « homosexuels », puis « le troisième sexe », puis les « transgenres », parfois plus sobrement les « efféminés » (car, il faut le noter en passant, la presque totalité des commentaires s'est limité aux transgenres hommes féminins, laissant invisibles les transgenres femmes masculines de Polynésie).

Tout est parti de Tahiti, plus précisément d'une visite restée célèbre pour d'autres raisons, celle du Capitaine Bligh en 1788 qui connut la mutinerie de la *Bounty*. Dans son long récit du séjour tahitien, Bligh eut quelques lignes sur les « Mahoo » (les *māhū*), des « hommes paraissant très efféminés », avec lesquels les autres hommes « ont de fréquentes relations » (voir les citations développées dans Oliver 1974 : 369-374). Le thème refit surface sous l'étiquette d'« homosexualité » avec des chercheurs américains en sciences sociales venus à Tahiti dans les années 1960 (Levy 1971, 1973). Peu après, Tahiti devint sous la plume de Bengt et Marie Thérèse Danielsson (1978) la terre exemplaire du « Troisième sexe en Polynésie », avant l'éclosion de publications sur ce thème, à partir des années 1980 et jusqu'à aujourd'hui, pour divers archipels de la région polynésienne : Tonga, Samoa, Îles Cook, etc.

Seulement voilà, cette littérature est le plus souvent un fatras de préjugés, et cela pour deux raisons. Les auteurs restent prisonniers de la bipolarité qui obère le cadre conceptuel occidental : au plan du genre : masculin/féminin – donc tout ce qui paraît ne pas s'y conformer est nécessairement « troisième » ou « trans » ; au plan de la sexualité : hétérosexualité ou homosexualité un point c'est tout. D'autre part, les auteurs n'ont pas pris le temps de vivre dans la société rencontrée, au sein de ces groupes sociaux particuliers, et n'ont pas eu l'humilité de simplement écouter ce que leurs interlocuteurs/trices pouvaient leur dire. Ils n'ont pas pris le temps d'oublier leurs questions importées sur « qui sont-ils/elles ? » dans la classification occidentale des genres ; ils n'ont pas choisi de s'intéresser uniquement à entendre le récit des parcours de vie dans la société locale. Heureuse surprise : *Trajectoires Trans à Tahiti* tranche avec cette littérature.

Pour écouter, pour se départir des préjugés, pour oublier les questions ethnocentriques, il faut avoir, d'une part, la volonté d'être véritablement dans et sur « le terrain » et, d'autre part, réussir à se faire accepter par des personnes qui, à juste titre, n'en peuvent plus d'être un objet de voyeurisme journalistique, réduites à un objet de curiosité, enfermées dans des cases conceptuelles préfabriquées, dans des cages en vérité, déjà par leur propre famille, par leur société et par tous ces visiteurs qui veulent écrire sur le « troisième sexe » polynésien. L'auteure de *Trajectoires Trans à Tahiti*, Julia Pacifico, a pleinement eu cette volonté d'être dans le terrain et est parvenue à cette intégration.

Cela nous vaut une grande densité de dialogues, fidèlement retranscris, où la parole des « Trans » de Tahiti se fait entendre haut et fort, avec l'émotion, parfois la tristesse, qui accompagne le vécu de ces personnes. Sur bien des aspects de la vie personnelle, dans la famille, dans le travail, mais aussi dans la plus grande intimité (la sexualité, la relation amoureuse), l'auteure a pu recueillir des confidences qu'on ne peut presque jamais lire ailleurs – et je peux témoigner, en comparant avec ce que connais un peu sur d'autres îles polynésiennes (Samoa), que ces confidences résonnent de vérité.

Tour à tour, nous écoutons plusieurs « Trans » de Tahiti. D'abord, chacune présente en résumé son parcours de vie. Puis chacune donne son opinion, et indique quelles furent ou sont encore ses difficultés : dans le milieu familial (les normes, les pressions, le va-et-vient nécessaire entre se dissimuler et s'affirmer), dans les relations intimes avec des hommes (la sexualité avec l'énorme ambivalence de rôles tour à tour « actifs » ou « passifs » ; le désir qui se heurte à la domination masculine, les aspirations souvent déçues à vivre en couple), dans le réseau d'entraide des amies « Trans », mais qui n'ignore pas la concurrence, dans le marché de l'emploi avec ses pièges, tantôt désespérant par les échecs, tantôt libérateur si l'intégration est réussie, mais aussi imposant le poids d'une confrontation quotidienne aux « autres » et aux supérieurs. On y voit à quel point les « Trans » tentent à tout prix de trouver une place dans leur société : *« On essaie de trouver des choses qui vont nous faire accepter dans la société. Et nous on fait tout pour se faire accepter »*.

Mais le choix est souvent limité : *« Ils mettent les trans dans certains métiers. Pour eux les transsexuelles sont faites pour être dans l'hôtellerie, dans les trucs esthétiques et tout. Alors que nous on peut travailler dans d'autres choses, dans les trucs administratifs, dans le marketing... Eux ils croient qu'on est des idiotes sans cervelle alors que non (...)»*.

En outre, les entretiens d'embauche sont souvent humiliants : *« C'est vrai que quand tu te pointes en fille et que sur ton cv c'est marqué masculin les gens te regardent de haut en bas et ça c'est pas évident»*.

Toutes ces pages vibrantes d'émotion par les dialogues retranscrits, à la fois intimes mais jamais voyeurs, font de ce petit livre un modèle d'ethnographie participante.

Le dernier quart du livre est plus méthodologique : « comprendre la transgenralité locale » en sortant des schémas classificatoires prédéfinis et en acceptant de constater que le genre « se fait », qu'il n'est pas donné, qu'il n'est pas un attribut (on peut penser ici à Irène Théry 2007, 2009 ; Théry et Bonnemère éds. 2008). L'auteure insiste sur l'aspect performatif du genre : *« Il n'y a pas un unique modèle de trans qui préexisterait à la transgenralité elle-même. Chacune, par son vécu et ses relations, crée son propre modèle de la transgenralité qui sera repris et surement modifié par les trans lui succédant. »*

Et l'auteure retrouve évidemment, entre autres, Judith Butler : « Lors de mes enquêtes j'ai retrouvé cet aspect subversif de la performativité. Durant mes entretiens et mes lectures j'ai été marqué par la diversité des définitions possibles des termes *māhū* et *raerae*. Il n'y a pas, pour reprendre les mots de Judith Butler de « vraie identité » du *māhū* et de la *raerae*. Face à ce foisonnement de définitions, parfois antinomiques, des mêmes termes, il m'a semblé important de comprendre leurs contextes d'utilisation afin de mettre en lumière les enjeux de pouvoir qui leur sont liés. Qui se nomme comment ? A quel moment ? Et pourquoi ? »Une dernière section aborde la redoutable question de la marginalisation par les étiquettes : quand une trans est qualifiée de « *raerae* ». Ce travail apporte ainsi sa contribution au dossier complexe de la double terminologie *māhū /raerae* qui a cours à Tahiti. Je voudrais retenir une dernière citation de l'auteure : « *La transgenralité étant perçue comme une déviance par le sens commun à Tahiti, lorsque les personnes font leur genre, elles construisent de la même manière et au même moment leur stigmate. Plus elles créent leur féminité, plus elles s'ancrent dans la déviance. Dès lors, elles doivent négocier leur genre et concéder soit leur féminité soit leur normalité. Suivant les interactions et le contexte qui y est lié, les concessions et les choix opérés ne sont pas les mêmes. Ce processus simultané de féminisation et de marginalisation est antagonique. Il construit et légitimise la féminité des personnes trans et en même il les stigmatise et les déshumanise.* »

Trajectoires Trans à Tahiti, même si ce livre est court (il est issu d'un mémoire de Master) fait partie de ce groupe très restreint de travaux où la parole des « Trans » polynésiens (du moins la parole des hommes-féminins) peut se faire entendre sans être étouffée par les préjugés moraux ou classificatoires qui obèrent habituellement la littérature occidentale sur le sujet. A son échelle, ce livre vient ainsi apporter sa pierre à un édifice en construction pour la Polynésie, déjà sorti de ses fondations mais qui comporte encore assez peu d'éléments solides – je veux dire une ethnographie « de terrain » et en dialogue respectueux. Sans du tout prétendre à l'exhaustivité, je me risquerai à mentionner une vingtaine de titres, en regard des centaines de publications qu'il vaut mieux oublier. D'abord les chapitres du livre collectif récent *Gender on the Edge* (Besnier et Alexeyeff éds., 2014) que Julia Pacifico ne manque pas de citer (deux chapitres sur Tahiti, trois sur Samoa, ainsi que Hawaii, Fidji, etc.). Et quelques auteurs qu'on peut ajouter à la bibliographie réunie par l'auteure : pour Tahiti, Bauer (2002), Campet (2002, n.d.), Elliston (1999, 2014), Grépin (2001) ; pour les Iles Cook, Alexeyeff (2000, 2007, 2008) ; pour Wallis et Futuna, du moins leur communauté établie en Nouvelle-Calédonie, Marmouch (2015, 2017) ; pour Samoa, Dolgoy (2000, 2014), Schmidt (2001, 2010), Tcherkézoff (2003 : 282-288 ; 2011, 2014) ; pour Tonga, Besnier (1997, 2002, 2003, 2004, 2007, 2013), sans oublier son article fondateur de 1994 qui ouvrit pour la première fois une réflexion comparative sérieuse à l'échelle de toute la Polynésie.

Serge Tcherkézoff, Août 2019

Bibliographie de la Préface :

Alexeyeff, Kalissa

—2000. « Dragging Drag : The Performance of Gender and Sexuality in the Cook Islands », *The Australian Journal of Anthropology*, 11 (3) : 297-307.

—2007. « Globalizing Drag in the Cook Islands: Friction, Repulsion, and Abjection », *The Contemporary Pacific*, 20 (1) : 143-161

—2008. « Dancing Sexuality in the Cook Islands », *In* Hastings Donnan and Fiona Magowan eds., *Transgressive Sex, Subversion and Control in Erotic Encounters*, New York, Berghahn : 113-130.

Bauer, François

—2002. *Raerae de Tahiti: rencontre du troisième type*. Papeete, Haere Po.

Besnier, Niko

—1994. « Polynesian gender liminality through time and space », *In* Herdt, Gilbert (ed.), *Third Sex, Third Gender : Beyond Sexual Dimorphism in Culture and History*. New York, Zone : 285-328.

—1997. « Sluts and Superwomen : The Politics of Gender Liminality in Urban Tonga », *Ethnos* 62 : 5-31.

—2002. « Transgenderism, locality, and the Miss Galaxy beauty pageant in Tonga », *American Ethnologist*, 29 : 534-566.

—2003. « Crossing genders, mixing languages : The linguistic construction of transgenderism in Tonga », *In* Holmes, Janet and Meyerhoff, Miriam (eds.), *Handbook of Language and Gender*,. Oxford, Blackwell : 279-301.

—2004. « The social production of abjection : Desire and silencing amongst transgender Tongans », *Social Anthropology – Anthropologie Sociale*, 12 : 301-323.

—2007. « Gender and interaction in a globalizing world : Negotiating the gendered self in Tonga », In Bonnie McElhinny, ed., *Words, Worlds, and Material Girls : Language, Gender, Global Economies*, Berlin, Mouton de Gruyter : 423-446.

—2013. « Modernité, corps et transformation de soi : les salons de coiffure aux îles Tonga (Polynésie occidentale) », *Terrain – Anthropologie & sciences humaines*, 61 : 150-165.

Besnier, Niko et Kalissa Alexeyeff eds.,

—2014. *Gender on the Edge : Transgender, Gay, and Other Pacific Islanders*, Honolulu, University of Hawai'i Press.

Campet, Sophie
—2002. *Rencontre du « Troisième Sexe : le cas du raerae tahitien.* Marseille, Aix-Marseille Université, Mémoire de DEA (septembre).
—n.d. Notes de terrain en vue d'un doctorat (datant de 2008, environ 300 pages) [en cours de dépôt à la bibliothèque du CREDO en vue d'un accès contrôlé]

Danielsson, Bengt et Marie Thérèse
—1978. [pages 10-11 concernant Tahiti] dans « Polynesia's Third sex : The Gay Life starts in the Kitchen » [titre donné à un article en trois parties, respectivement sur Tahiti, Samoa et Tonga, par les Danielsson, V. Pierson et un contributeur non nommé] *Pacific Islands Monthly*, August : 10-13.

Dolgoy, Reevan
—2000. *The Search for Recognition and Social Movement Emergence : Towards an Understanding of the Transformation of the Fa 'afafine of Samoa* (Ph D), Edmonton, University of Alberta.
—2014. « "Hollywood" and the Emergence of a Fa'afafine Social Movement in Samoa,
1960–1980 », *In* Besnier et Alexeyeff eds. (*supra*) : 56-72.

Elliston, Deborah
—1999. « Negotiating Transnational Sexual Economies : Female Māhū and Same-Sex Sexuality in "Tahiti and Her Islands" », *In* Evelyn Blackwood and Saskia Wieringa eds., *Female Desires : Same-Sex Relations and Transgender Practices across Cultures*, New York, Columbia University Press, 232–252.
—2014. « Queer History and Its Discontents at Tahiti: The Contested Politics of Modernity and Sexual Subjectivity », *In* Besnier et Alexeyeff eds. (*supra*) : 33-55.

Grépin, Laure-Hina
—2001. *L'adolescence masculine aux Tuamotu de l'Est aujourd'hui—Le Taure'are'a : Contradictions et transformations d'une catégorie sociale traditionnelle* (Thèse de doctorat), Paris-Marseille, École des hautes études en sciences sociales.

Levy, Robert
—1971. « The community functions of Tahitian male transvestites », *Anthropological Quarterly*, 44 :12-21.
—1973. *Tahitians : Mind and Experience in the Society Islands*. Chicago, University of Chicago Press.

Marmouch, Maroua
—2015. *Transgenres en Nouvelle-Calédonie : discussions intimes sur des parcours de vie wallisiens et quelques parcours kanak* (thèse de doctorat). Paris-Marseille, École des hautes études en sciences sociales.

—2017 « Migration, urbanisation et émergence des transgenres wallisiennes dans la ville de Nouméa », *Journal de la Société des Océanistes*, 144-5 : 185-194.

Oliver, Douglas
— 1974. *Ancient Tahitian Society*. Honolulu, University of Hawai'i Press (3 vol.)

Schmidt, Johanna
—2001. « Redefining Fa`afafine : Western Discourses and the Construction of Transgenderism in Samoa », *Intersections. Gender and Sexuality in Asia and the Pacific* [revue en ligne : http://intersections.anu.edu.au/], 6.
—2010. *Migrating Genders : Westernisation, Migration, and Samoan Fa`afafine*. Farnham (Surrey, UK) : Ashgate [sous ce titre d'abord en 2005 : Ph. D, University of Auckland]

Tcherkézoff, Serge
—2003. *FaaSamoa, une identité polynésienne (économie, politique, sexualité). L'anthropologie comme dialogue culturel*. Paris, L'Harmattan.
—2011. « La distinction de sexe, la sociologie holiste et les Iles Samoa. A-propos du livre de Irène Théry : *La distinction de sexe, une nouvelle approche de l'égalité*, Paris, Odile Jacob, 2007 », *L'Homme*, 198-199 : 333-354.
—2014. « Transgender in Samoa: The Cultural Production of Gender Inequality », *In* Besnier et Alexeyeff eds. (*supra*) : 115-134.

Théry, Irène
—2007. *La Distinction de sexe, Une nouvelle approche de l'égalité*. Paris, Odile Jacob.
—2009. « Le genre : identité des personnes ou modalité des relations sociales ? », Conférence inaugurale annuelle du Centre M. Bloch (EHESS, Berlin), 20 octobre 2009, texte complet en ligne :
http://www.pacific-dialogues.fr/pdf/5_Genre_modalite_des_relations_conf_Berlin.pdf
(publié sous forme abrégée, mais avec bibliographie plus développée: http://www.inrp.fr/publications/edition-electronique/revue-francaise-de-pedagogie/RF171-13.pdf).

Théry, Irène et Pascale Bonnemère éds.
—2008. *Ce que le genre fait aux personnes*, Paris, Marseille, ed. de l'EHESS, coll. Enquêtes.

*

* *

Introduction

Dans les cours d'histoire à l'école primaire en Polynésie, on apprend qu'avant l'arrivée des anglais puis des français, existait une catégorie sociale dont les membres avaient la spécificité d'être des hommes efféminés. Ces garçons étaient éduqués comme des filles dès leur plus jeune âge. Certaines affirmations dans la littérature disent que le troisième enfant de chaque famille était considéré.e comme féminin.e, qu'elle ou il soit né.e avec un pénis ou avec un vagin. D'autres récits parlent d'un choix des individus, d'autres encore que le premier enfant, devant aider les femmes dans la sphère domestique, se féminisait à leur contact. Leur origine varie selon les discours, de même que leurs rôles au sein de la société : personnel de maison dans les familles importantes, nourrices ou encore éducatrices ou éducateurs sexuel.le.s. Ces efféminés sont cependant tous appelés de la même manière : *māhū*, terme qui a pu être interprété localement comme ayant pour étymologie « esprits trompeur » (Montilier Tetuanui, 2013). Selon le *Dictionnaire illustré de la Polynésie française, les māhū sont des hommes travestis qui, dans l'ancienne société tahitienne, vivaient à la manière des femmes et en leur compagnie* (Merceron, 1988 : 13). Certains avaient des pratiques homosexuelles mais d'autres pouvaient être hétérosexuels. Pour les personnes cherchant une explication fonctionnaliste à leur présence on raconte que les *māhū* assuraient, en cas de guerres tribales, la natalité au sein de la société. Si une guerre survenait et que les hommes partis combattre ne revenaient pas, restaient sur place les *māhū* pour enfanter. Une autre explication serait que les *māhū* incarnaient une institution sociale ayant un rôle d'anti-héros, montrant aux jeunes générations de garçons le chemin qu'il ne fallait pas prendre. Les définitions historiques varient suivant les personnes qui les racontent. Il n'en reste pas moins que les efféminés avaient un rôle et un statut dans la société tahitienne.

Aujourd'hui dans les rues de Papeete un mot revient sans cesse lorsque l'on parle des hommes vivant comme des femmes : *raerae*. Ce terme est plus récent que celui de *māhū*. Les premières utilisations de ce terme dateraient de la fin de la seconde guerre mondiale, de la présence de soldats américains dans l'archipel des Iles-Sous-le-Vent suivie de l'arrivée en masse de l'armée française avec l'ouverture du Centre d'Expérimentation du Pacifique en 1960 (Lacombe, 2008). À cette époque ce terme désignait des *māhū* qui s'étaient trop féminisé.e.s et qui se prostituaient pour les militaires français (Elliston, 2014).

Même si la transgenralité connaît une histoire particulière en Polynésie, c'est en Europe et en Amérique du Nord que le concept de genre est apparu et a pris une dimension scientifique. Historiquement le genre est un concept issu du monde médical. Il fut créé vers le milieu du XXème siècle afin de rendre compte de la « vraie identité de sexe » des personnes diagnostiquées à l'époque comme hermaphrodites. Cette « vraie identité de sexe » fait référence à ce que John Money a nommé les *gender roles* (Money, 1955), c'est-à-dire les manières qu'ont les individus d'être un sexe. Dans les années 1970, le concept est repris dans le monde des sciences sociales par les critiques féministes afin d'interroger l'assignation des rôles genrés au sein de la société et les rapports de pouvoir qui en découlent. Aujourd'hui, l'opposition entre nature et culture, entre sexe et genre, semble obsolète au sein des *Gender Studies*. Le sexe peut être considéré comme biologique, c'est-à-dire ayant une matérialité, mais il se doit d'être construit socialement pour être réel. Le genre peut alors être considéré de façon pertinente comme un outil conceptuel afin de comprendre l'ensemble du monde social. Tous les champs de la société peuvent ainsi être signifiés par des questions de genre (Scott, 1986). En ce sens, le genre dépasse le champ des travaux féministes et touche à tous les domaines d'études, permettant de penser différemment le monde social. La recherche que j'ai menée sur la transgenralité à Tahiti interroge l'ensemble de la société tahitienne à travers le prisme du vécu des personnes trans sur l'île. Le genre permet de questionner de manière originale une diversité de champs d'étude comme la parenté, l'économie ou encore la politique. Les rapports de genre sont en effet inévitablement en lien avec des problématiques sociales plus larges.

Dans son ouvrage *La construction de la réalité sociale* (1995), John Searle développe la thèse selon laquelle ce sont les mots qui créent la réalité sociale. C'est-à-dire que lorsque l'on désigne ou nomme quelque chose on le fait, par cet acte d'énonciation, exister socialement. Par exemple, en Europe la transsexualité a été construite durant la seconde moitié du XXème siècle lorsque les médecins ont dû développer une prise en charge clinique des personnes ne se sentant pas appartenir au genre qu'on leur a assigné à la naissance (Hausman, 1995). Avant 1950, les transsexuel.le.s n'avaient aucune existence sociale en Europe du fait qu'il n'y avait aucun mot pour les nommer. En se basant sur cette idée que la réalité sociale est construite sur des actes de langage, la présence des termes *māhū* et *raerae* dans la langue polynésienne souligne une certaine normativité de la transgenralité. Cette normativité est renforcée par l'historicité du terme *māhū*. William Bligh, commandant du célèbre Bounty, évoquait déjà des « mahoo » dans son récit de voyage datant de 1792. Cependant, malgré cette normativité apparente, l'utilisation usuelle du terme *raerae* pour nommer les trans marque la marginalité de ces personnes. Ce terme assimile directement le fait d'être trans à la prostitution et ce dès le plus jeune âge. Les personnes trans semblent donc être mises en marge de la société non pas, parce qu'elles ne correspondent pas à la bi-catégorisation femme/homme mais, parce que les pratiques auxquelles on les associe sont des activités déviantes au sein de la société tahitienne. Elles ne sont pas ou difficilement acceptées au sein de la population. Dans ce contexte ambigu, souvent qualifié d'hypocrite par mes interlocutrices, la transgenralité semble à la fois normalisée et marginalisée.

Une situation complexe et particulière se dessine vis-à-vis des trajectoires de vie trans à Tahiti. Afin de saisir tous les enjeux liés à ce contexte, la recherche ethnographique permet de dépasser les particularismes et de penser des processus sociaux et culturels dans leur ensemble. La réalité sociale étant insaisissable en tant que telle, l'anthropologie nous oblige à interpréter les faits observés. Les questions de genres sont intéressantes car elles impliquent différents lieux, différentes temporalités et différents champs autours de la même thématique. Afin de saisir le sens de chacun des points évoqués dans cette recherche, il faut auparavant connaître les autres qui lui sont liés. L'ensemble du terrain ne devient compréhensible que lorsque tous les aspects se mettent en place les uns par rapport aux autres qui lui sont liés. L'approche anthropologique se veut sans jugement pour comprendre l'ensemble de ces interconnexions du point de vue de la population locale. Travail complexe mais si fascinant lorsque les logiques sous-jacentes font surface.

Cette recherche s'est ainsi efforcée de comprendre comment vivent les personnes trans à Tahiti. Quels sont les dilemmes auxquelles elles doivent faire face ? Quelles stratégies et quelles pratiques mettent-elles en place ? Et dans quels buts ? Cette problématisation de la transgenralité à Tahiti axée sur le vécu des actrices, offre ainsi un point de vue innovant dans ce champ d'étude. À partir des principaux ouvrages traitant de cette thématique en Polynésie, ma démarche part des questionnements et des incompréhensions que j'ai pu avoir en tant qu'européenne sur les situations et contextes de vie des personnes trans sur cette île. Fondé sur des enquêtes ethnographiques et ethnologiques, ce livre traduit les trajectoires de vie des personnes rencontrées. Juxtaposant divers champs tels que la parenté, les interrelations avec les hommes, le réseau trans ou encore l'emploi, l'analyse se focalise sur les processus de construction du genre et de la déviance afin de mettre en avant la double dynamique de la féminisation et de la marginalisation vécues par les trans tahitiennes. En ce sens, cette étude locale des spécificités tahitiennes offre aussi une contribution globale aux *Gender Studies*.

Raerae et *māhū* : contextualisation de la transgenralité tahitienne

Etudier la transgenralité, c'est questionner le rapport binaire entre féminin et masculin et accepter une certaine rupture avec une vision du monde structurée suivant une division femmes/hommes. L'étude des personnes trans vivant à Tahiti permet de repenser l'ordre social. La présence historique des *māhū* résonne avec le manque de récits et de sources sur leur rôle et leur statut au sein de la société polynésienne. Il est pourtant nécessaire de comprendre les termes vernaculaires de *māhū* et de *raerae* afin de saisir toute la complexité de la transgenralité dans le contexte tahitien.

Māhū

Les *māhū* sont définis comme des personnes mi-homme mi-femme et en même temps ni homme, ni femme. Cette hybridation entre un corps biologique masculin et des attitudes féminines est leur principale caractéristique. Cependant, derrière l'idée de femmes prisonnières de corps d'hommes se cache une infinité de combinaisons et d'alternances possibles entre répertoires féminins et masculins. Suivant leur position sociale, leur travail et leur âge leur construction genrée varie. Toutefois, les *māhū* sont considérés comme des membres à part entière de la société tahitienne. Dans l'imaginaire collectif polynésien, les *māhū* s'opposent à l'image du *'aito*, du guerrier polynésien. Leur participation au travail des femmes, leurs attitudes et leurs tenues féminines contredisent la masculinité virile des *'aito*. D'ailleurs, l'une des interprétations du mot *māhū* signifie « mou, nonchalant, lymphatique » (Lacombe, 2008), c'est-à-dire l'exact opposé de l'image du guerrier courageux, plein de force et d'abnégation. C'est donc dans un contexte fortement ancré dans les racines culturelles et historiques de la Polynésie que les *māhū* sont définis en fonction de leur comportement et rôle social.

Les *māhū* avaient traditionnellement un rôle et un statut social reconnu au sein de la société polynésienne. A l'arrivée des missionnaires au XIXème siècle, on observe « l'émergence d'un nouvel ordre moral et sexuel » (Lacombe, 2008 : 184). La sexualité des *māhū* est invisibilisée et passée sous silence. « S'ils n'ont pas été visés par les autorités religieuses, ou alors ponctuellement, c'est peut-être parce qu'ils constituaient la seule forme d'expression tolérable, alors, d'une bi ou homosexualité » (Lacombe, 2008 : 193)

En passant sous silence leurs pratiques sexuelles, les *māhū* parviennent à être intégrés dans la vie locale polynésienne. Leurs pratiques sexuelles sont ainsi absentes des discours explicatifs au sujet de leur présence historique et leur sexualité doit rester invisibilisée pour être acceptés dans la société.

Raerae

Les *raerae* quant à elles se définissent en opposition au *māhū*. Elles vont au-delà de l'hybridation mi-femme/mi-homme et recherchent une féminité aboutie (Lacombe, 2008). Elles performent un genre inspiré de la « femme globale » (Elliston, 2014), c'est-à-dire à l'image de la femme blanche moderne. Cette iconographie renvoie à des corps sexués et sexualisés, totalement absent de l'imaginaire collectif sur les *māhū*. Le sens commun veut donc que *māhū* et *raerae* soient les deux points opposés d'un même continuum : l'une, figure historique, traditionnelle, polynésienne liée aux activités sociales quotidiennes de la population, et l'autre, invention récente liée à la modernité et au monde occidental, vivant de nuit et exposant sa sexualité. Pour Philippe Lacombe : « ceux qui affichent leur orientation sexuelle ou bien des attitudes ostentatoires passent du côté sombre, celui des *raerae* » (2008 :1949). Or cette distinction claire entre *māhū* et *raerae*, n'est pourtant pas aussi hermétique dans la réalité ; plus qu'un simple élément de définition, la sexualité des *raerae* semble au centre de l'iconographie de ce personnage.

Le terme *raerae* est apparu sur l'île de Tahiti, et plus précisément à Papeete, au cours des années 1960. Sa signification ne correspond à rien dans la langue tahitienne. Robert Levy est le premier à employer ce mot dans un ouvrage scientifique pour définir : « [Des hommes qui] s'habillent et agissent comme des femmes, qui n'ont pas d'activité typiquement féminine et qui s'engagent dans les préférences homosexuelles mais qui ne sont pas nécessairement des *māhū*. » (Levy, 1971 : 15).

L'apparition des *raerae* à cette époque fait écho à l'arrivée des quelques 20 000 militaires français sur l'île. Ces hommes blancs à fort capital économique ont favorisé le développement du commerce sexuel dans les rues de Papeete : « le phénomène de la prostitution homosexuelle occidentale a rapidement submergé le style du travesti *māhū* » (Danielson, 1978 : 11). Plus les *raerae* étaient nombreuses, plus elles réussissaient à attirer ces étrangers de passage. Aux vues de leur émergence et de leur activité, ce nouveau genre d'efféminés diffère des traditionnel.le.s *māhū*. L'histoire des *raerae* les lie intimement à la prostitution de rue. Dans le contexte de la colonisation française de l'époque, les *raerae* sont celles qui vont aller vendre leur sexualité à l'homme blanc dominant et pas grandement apprécié par l'ensemble de la population locale. L'apparition du personnage de la *raerae* marque ainsi un moment de rupture dans les discours sur la Polynésie entre traditionalisme et modernisme. Vivant ou ayant vécu de la prostitution les *raerae* sont ainsi marquées au sein de la population par l'immoralité de leur condition de vie. La pratique de la prostitution a marqué profondément le genre des *raerae* en Polynésie car « le travail et le genre sont si étroitement liés dans la société polynésienne que la pratique du sujet en matière de travail peut souvent être au cœur de la reconnaissance même du genre » (Elliston, 2014 : 44). La transgenralité des *raerae* s'inscrit ainsi dans la marginalité mais leur vécu a jusqu'à présent peu été étudié. L'image historiquement proposée de leur jeune corps exotisé, sexué et féminisé invisibilise en grande partie les réalités vécues par les trans à Tahiti.

Ma recherche dans le contexte actuel

Le genre, comme toute catégorie sociale, est imbriqué dans des contextes culturels et sociaux. Il varie et fait sens de différentes manières suivant les situations. Pour les trans vivant à Tahiti, il n'est possible de comprendre leur vécu qu'en prenant en compte les enjeux identitaires, politiques et économiques de la Polynésie. Vu de l'extérieur *māhū* et *raerae* peuvent sembler être la même chose. Or, en considérant le contexte historique et culturel de l'île, il devient évident qu'il se joue quelque chose d'essentiel dans la différentiation entre *raerae* et *māhū*. L'imprégnation religieuse de la société tahitienne favorise entre autres une valorisation des *māhū* et une dépréciation des *raerae*, créant ainsi l'image de ce que serait une bonne et une mauvaise transgenralité suivant la dissimulation et l'invisibilisation de l'identité sexuelle. Cependant, comme l'explique Phillipe Lacombe, « loin de constituer une catégorie homogène, les *māhū* et *raerae* se distribuent en sous-groupes aux pratiques, visibilités et comportements bien distincts » (2013 : 89). La division franche qui existe dans les discours à propos des *māhū* et *raerae* ne se retrouve pas forcément aujourd'hui dans les pratiques et dans les trajectoires de vie des personnes trans sur l'île. Les identités se forment de manière plus complexe que simplement sur la base d'une invisibilisation ou non de la sexualité. D'ailleurs les définitions de *māhū* et *raerae* sont très poreuses et changent suivant les points de vue. Ma recherche se base sur le contexte culturel et historique des *māhū* et des *raerae* mais remet en cause ce qui peut sembler évident pour le sens commun, c'est-à-dire l'existence d'une franche dichotomie entre ces deux catégories. J'ai donc préféré parler de trans afin d'englober le plus de cas et de pratique possible. Les termes transsexuel.le.s ou transgenres étant des concepts liés à un contexte historique européen et nord-américain sont aussi laissés de côté. Je n'emploie pas non plus le terme vernaculaire *raerae* car selon moi il discrédite les personnes trans tahitiennes. Pour le sens commun *raerae* fait directement référence à la prostitution, la drogue et l'alcoolisme. De plus, dans la vie courante, le terme *raerae* est souvent utilisé au masculin. La langue tahitienne n'ayant pas de genre grammatical, j'ai choisi de le féminiser en français afin qu'il soit le moins discréditant possible pour les personnes trans concernées.

L'analyse étant basée principalement sur les trajectoires de vie de six personnes dont cinq d'entre-elles se considèrent comme étant féminines, il me semble aller de soi d'employer le féminin quand je parle d'elles de manière générale, et ceci même si durant nos entretiens il est arrivé que mes interlocutrices parlent inconsciemment d'elles ou des trans en général au masculin. Dans la retranscription de leurs propos je suis resté fidèle à leurs paroles et j'ai conservé les formes grammaticales employées, qui seront évidemment analysées dans les prochains chapitres.

Ma recherche est fondée sur une approche qualitative. Les données présentées proviennent d'enquêtes menées pendant plusieurs mois à Tahiti ainsi que d'une exploration bibliographique menée en parallèle. Dans cette démarche j'ai travaillé à partir de récits de vie, d'entretiens de réseaux et d'observations. Les recherches qualitatives en sciences sociales permettent d'induire du terrain les hypothèses et problématiques de la recherche en s'écartant des divers préjugés possibles. En tenant compte des données théoriques, j'ai interprété les données produites dans le but d'en « extraire » du sens. Je mets le terme extraire entre guillemets car il pourrait laisser penser l'idée d'une vérité. Or, l'induction, nécessaire dans l'étude des phénomènes sociaux, demande une part importante de subjectivité. En ce sens, ce travail ne traite pas de vérités mais de mon interprétation et de mes réflexions scientifiques sur les réalités vécues. L'analyse que je propose se base sur la compréhension des trajectoires de vie trans à Tahiti et du sens qu'elles donnent à leur vécu. C'est une analyse de l'intérieur fondée sur la production du sens. Mon attention est portée sur les logiques d'action et sur les processus sociaux des différents phénomènes observés. Afin de comprendre les trajectoires de vie de chacune, il est essentiel de prendre en compte les contextes dans lesquels elles évoluent. Les hypothèses construites au sujet des trajectoires de vie trans à Tahiti proviennent de ce contexte de recherche. L'ensemble de ma théorisation est ainsi ancré dans le vécu des personnes rencontrées. A l'image des écrits développés par Barney Glaser et Anselm Strauss concernant la *Grounded Theory* (Glaser et Strauss, 1967), les éléments théoriques sortent du terrain et non d'autres auteurs ou autrices. Théoriser signifie ici dégager du sens et lier avec un schéma explicatif les diverses situations étudiées.

Cette méthode permet de renouveler constamment la compréhension du même phénomène et fait ainsi avancer la recherche. La théorisation doit donc être appréhendée non pas comme un résultat mais comme un processus.

Les descriptions, les narrations et les représentations présentées ici sont le fruit de mes interprétations scientifiques. J'ai passé plusieurs mois à Tahiti en 2017 aux côtés des personnes transgenres pour partager leurs moments de vie et m'entretenir avec elles au sujet de leur histoire individuelle. Cette recherche est basée sur des échanges, des interactions et des relations avec les personnes qui m'ont accordé leur temps et m'ont donné accès à leur intimité. Les pages à venir interprètent ainsi les interprétations qu'ont eu ces personnes sur leur vie, sur la transgenralité et sur la société tahitienne ; les données produites étant le résultat d'une coproduction entre les personnes avec lesquelles j'ai interagi et moi-même. Mon travail d'écriture souhaite rendre compte de cette situation particulière qui fait la richesse des travaux ethnologiques. A l'image du dialogisme de Mikhaïl Bakhtine, ce mémoire se construit dans l'interaction entre mon discours et les discours de ces personnes. Cette perspective laisse la place aux points de vue de chacune en incluant de nombreuses retranscriptions d'entretiens afin de leur laisser leur voix.

Le vécu trans

Cette recherche se base principalement sur des enquêtes réalisées avec six personnes[1]. Afin de mieux comprendre leurs points de vue et les expériences qu'elles ont vécues, je souhaite les présenter brièvement avant de livrer les données de la recherche. Dans un souci d'anonymat et de confidentialité, certaines de leurs caractéristiques ont été remplacées ou supprimées. Pour autant rien ne compromet la compréhension des phénomènes et processus sociaux liés aux trajectoires de vie de ces personnes.

Ami

Ami habite dans les environs de Papeete. Elle a un peu moins de 30 ans. Fille cadette d'une famille protestante, elle a grandi la plupart du temps entourée par des femmes. Elle pense avoir été éduquée comme une fille et a toujours été persuadée d'en être une. Enfant, elle est scolarisée dans une école catholique. Elle ne comprend pas quand on lui dit qu'elle est un garçon et pourtant elle s'aperçoit qu'elle n'est pas une fille. Commencent alors de nombreux questionnements et expériences afin de savoir qui elle est. À la suite de ses premiers rapports sexuels et de son entrée dans un collège public elle en vient à se définir comme une *raerae*. S'affirmant de plus en plus, elle se fait aussi de plus en plus réprimander par son père. Les disputes en viennent aux mains, régulièrement elle se fait battre et sermonner. Ne voulant pas décevoir son père elle réessaye d'être un garçon et se cache derrière le personnage de *māhū* ou d'efféminé. En cachette elle s'habille en fille pour sortir la nuit et découvre le sexe, l'alcool et la drogue. Ses relations avec ses parents se dégradent mais par respect pour eux elle tente de ne pas les décevoir. À 22 ans, elle arrive premier dauphin à une élection de *Mister*, et sent qu'elle fait la fierté de son père. Ses études finies elle trouve un emploi au sein d'une administration communale et part, à 25 ans, du domicile familial. Elle se rend alors

1 D'autres personnes, entretiens et données issues de phases d'observations seront quelque fois mobilisés dans les prochains chapitres.

compte qu'elle ne veut pas être un homme efféminé mais une femme. Dès lors elle commence une transition grâce à un traitement hormonal et à la chirurgie plastique. Actuellement, elle a toujours son pénis mais envisage une opération dans les années à venir. Depuis qu'elle a son emploi et qu'elle a commencé sa transition ses parents ont accepté sa féminité.

Elsa

Elsa a 35 ans, est employée de maison depuis 10 ans dans une riche famille de Tahiti. Elle vit dans un appartement sur les hauteurs de Papeete à 5 minutes de chez ses employeurs. Elle passe ses journées entières chez eux, si bien qu'elle n'est quasiment jamais chez elle hormis le weekend. Avant d'être employée de maison Elsa s'est prostituée durant de nombreuses années. A 15 ans elle se retrouve dans la rue, son père lui ayant posé un ultimatum : rester sous son toit et ne plus se travestir ou se travestir mais partir. Elle choisit de quitter sa famille et trouve refuge chez des trans plus âgées qui lui font connaître les traitements hormonaux. Elle entame ainsi sa transformation physique. En échec scolaire, elle quitte ses études au lycée et vit de ses relations avec des hommes. Trois ans après son départ du domicile familial son père revient vers elle et accepte sa féminité. Même si elle entretient de bons rapports avec ses parents elle ne souhaite pas retourner vivre chez eux. Quelques années plus tard elle rencontre un homme. Ce dernier souhaite l'aider à sortir de son quotidien. Comme elle souhaite avoir des seins, il accepte de lui payer son opération. Après leur rupture, elle décide de vivre célibataire, trouve son emploi en tant qu'employée de maison et paye dès lors elle-même ses traitements et opérations. Elsa ne souhaite pas changer son sexe. Sur les conseils d'une proche, elle a décidé qu'elle n'était pas prête. Avec son physique et ses attitudes féminines elle pense que c'est son pénis qui fait d'elle un être extraordinaire. Si elle devient totalement femme elle ne sera plus la personne qu'elle est aujourd'hui.

Hani

Hani est une étudiante d'une vingtaine d'année. Elle suit une licence en économie et gestion à l'Université de Polynésie française dans le but de travailler en milieu bancaire. Pour l'heure elle vit chez ses grands-parents en banlieue de Papeete. Très jeune elle s'affirme comme fille. Vers ces 5 ans elle demande à son père comment elle peut faire pour en être une. Un peu surpris ce dernier n'est cependant pas choqué et laisse le choix à son enfant de s'habiller et de se comporter comme elle le souhaite. Cette attitude interpelle les services sociaux qui menacent les parents de leur enlever leur enfant si elle continue à mettre des robes. Les parents optent alors pour des vêtements androgynes qui ne plaisent pas du tout à Hani. À l'adolescence sa pilosité se développant, elle demande donc à son père si elle peut suivre un traitement hormonal afin de transformer son corps. Avec son accord elle suit des examens psychiatriques, obligatoires avant la prise d'hormone, attestant le rejet de son corps d'origine. À 14 ans elle commence un traitement hormonal et change totalement sa garde-robe. Depuis elle vit pleinement sa féminité et programme des opérations de chirurgie plastique pour ses seins et son sexe dès que ses finances le lui permettront.

Ivi

Ivi a bientôt 60 ans. Née dans l'archipel des Tuamotu, elle part de son île natale durant son adolescence pour suivre sa scolarité à Rangiroa. Cette séparation avec sa famille n'est pas facile à vivre mais cela lui permet de s'éloigner de ses parents qui la maltraitent à cause de son caractère efféminé. Durant son adolescence son corps change et sa poitrine se met à pousser. Après l'obtention de son certificat d'étude elle vient s'installer à Tahiti. Elle a 19 ans et elle ne connaît personne sur l'île. Elle trouve du travail dans le milieu de l'hôtellerie. On lui demande alors de s'habiller en homme, de se couper les cheveux et de cacher sa poitrine. Pour augmenter son salaire elle se prostitue au sein des hôtels où elle travaille et dans les rues de Papeete. A 30 ans elle pense faire l'opération pour changer de sexe mais celle-ci coûte trop chère et de plus elle vient d'adopter la fille d'une de ses sœurs cadettes. Au total, Ivi a adopté deux filles et est actuellement grand-mère. Elle a mis fin à sa carrière dans l'hôtellerie et la prostitution juste avant ses 50 ans. Depuis elle est vendeuse ambulante dans les rues de Papeete et des autres villes de l'île. Elle ne pense plus du tout à se faire opérer pour changer de sexe. Elle aime bien se définir comme étant dans les deux corps, homme et femme, elle a une allure androgyne et parle d'elle le plus souvent au féminin.

Joy

Joy a 50 ans, c'est l'une des fondatrices de l'association avec laquelle j'ai collaboré durant ma recherche. Elle est devenue une femme il y a une trentaine d'années. Elle nait et passe son enfance à Tahiti dans une famille de 10 enfants. Très jeune, elle apprend la danse, ce qui lui permet de trouver dès 17 ans un travail dans les boîtes de nuit de Papeete et gagner ainsi sa vie, ses parents lui ayant coupé les vivre depuis qu'elle a affirmé sa féminité. Vers 20 ans, elle emménage en France avec un français rencontré sur l'île. Elle travaille alors dans des cabarets, ce qui lui permet de se payer ses opérations chirurgicales. En quelques mois elle a fait toutes les opérations qu'elle souhaitait et a demandé le changement de son état civil. Une fois obtenu elle quitte la France pour travailler dans divers cabarets en Europe jusqu'au jour où elle emménage avec un homme. Ce dernier lui demande d'arrêter de faire des spectacles. Elle suit alors une formation et change de carrière. Le couple veut alors avoir un enfant. Afin d'adopter plus facilement, ils décident de partir vivre à Tahiti. Depuis son départ de l'île son apparence physique a totalement changé et sur place elle commence une nouvelle vie de mère de famille et de professionnelle du marketing. Pour elle, il est inutile de se rappeler son passé en tant que garçon, n'y même de se considérer comme transsexuelle car aujourd'hui c'est une femme. Depuis quelques années, elle aide des jeunes personnes trans à s'insérer socialement. Elle mène depuis des actions associatives et est engagée sur la sphère publique pour l'acceptation de trans sur l'île.

Terupe

Terupe est le seul homme avec lequel j'ai collaboré durant ma recherche. Il pense que tout le monde naît « un peu homme et un peu femme » et que chacun.e fait un choix par la suite. Très jeune il a des vues sur des garçons. Au collège il affirme de plus en plus son comportement féminin et arrivé au lycée il s'habille exclusivement en fille au détriment de l'avis de sa mère. À la suite d'un pari lors d'une soirée il coupe ses cheveux, qui étaient alors très long. C'est le déclic. Il décide de tout changer, de mettre de côté son style vestimentaire féminin et d'adopter un style et une apparence masculine. Après ce changement, sa mère n'accepte toujours pas les manières féminines qu'il a gardé. À la suite d'une dispute, elle le met à la porte. Il passera plusieurs mois dans la rue avant d'être hébergé par une de ses tantes. À côté de tout cela, Terupe réussit brillement ses études et à de nombreuses reprises il a la possibilité de continuer son cursus en France. Mais à chaque fois sa mère refuse de l'aider à financer son billet d'avion pour la métropole. Il vit donc pendant 2 ans de petits boulots et cherche à se mettre en couple avec un homme afin d'avoir plus de stabilité. Il n'a pas encore 23 ans, quand les services sociaux lui demandent de s'occuper de l'enfant de sa cousine âgé alors 4 ans. Depuis cette adoption il y a 16 ans, Terupe a focalisé sa vie sur son travail pour répondre au besoin de sa famille. A 38 ans, il a aujourd'hui un poste à responsabilité sur une île voisine de Tahiti et ne remettrait une robe pour rien au monde. Il garde, cependant, ses cheveux longs et ses « petites manies » comme il les appelle.

Normes et tensions familiales

Les identifications de genre se faisant à partir de modèles prédéfinis socialement, les individus se construisent suivant les images que l'on donne de la féminité ou de la masculinité et définissent ceux qui les entourent suivant ces mêmes modèles. Ces modèles sont inculqués dès l'enfance lors de la socialisation primaire (Berger & Luckmann, 1966). Les institutions familiales et les représentations que les adultes mettent en scène dans les routines familiales assignent un genre à l'enfant dès son plus jeune âge. Cependant, les enfants ne sont pas passifs. Elles et ils sélectionnent dans leur environnement familial ce qui constitue la différence entre les genres et s'identifient ainsi à des pratiques et des attitudes. Il y a donc une double dynamique, l'une venant de l'enfant et l'autre provenant de son entourage. Le cadre familial est donc essentiel pour comprendre les constructions identitaires des enfants trans à Tahiti. Dans ce cas particulier, l'identification féminine de l'enfant ne correspond pas à la catégorie garçon que lui a assignée ses parents. Dès lors, il est intéressant de questionner les répercussions qu'aura cette situation dans la trajectoire de vie des enfants. Comment les normes de genre sont-elles appliquées au sein des *fēti'i*[2]? Comment les personnes trans grandissent-elles à Tahiti ? Comment interagissent-elles avec leurs *fēti'i* et leurs parents pendant leur enfance et après leur départ du domicile familial ?

Les normes familiales

Lors des entretiens narratifs les personnes interrogées commençaient généralement par parler de leur enfance et de leur famille proche. J'ai été marquée par certaines remarques comme celle de Nina qui m'expliquait :

> *J'ai eu la chance d'avoir des parents qui comprennent, qui ne voulaient pas, mais qui comprenaient en même temps. Enfin, j'étais pas tapée quoi.*

Décrivant leur famille, mes interlocutrices me disaient à chaque fois d'elles-mêmes si elles avaient subi ou non des violences physiques

2 *Fēti'i* : ensemble des personnes faisant partie de la parenté et des personnes que l'on considère comme telles.

durant leur enfance. Dans les discours des personnes comme Nina[3], n'ayant pas vécu de telles expériences, revenait à chaque fois l'idée qu'elles avaient été chanceuses. Dans l'imaginaire collectif il semble donc aller de soi qu'il existe un lien entre enfance trans et violence familiale. Afin de saisir cette situation il me semble pertinent de comprendre comment sont mises en place et exercées les normes familiales. Quels sont les types de pressions et de restrictions ? Qui décide de ces normes ? Et quelles stratégies sont mises en place pour s'en échapper ?

Pressions et restrictions

Dans leurs souvenirs, les personnes interrogées se rappellent avoir été féminines dès leur enfance. Beaucoup m'ont raconté que dès l'âge de 4-5 ans elles agissaient déjà comme des filles. À la suite de ces comportements certains parents ont tenté d'inciter leur enfant à être plus masculine en leur faisant pratiquer diverses activités :

> *Mon père a tout fait pour que je sois un garçon. Il m'a fait faire du football, du judo, du tennis, du rugby, enfin tout ce qui est mec. Je pense qu'il voyait déjà à l'époque [que j'étais trans], mais je n'osais pas encore franchir le pas, j'étais toute petite, j'étais encore une enfant.* [Ami]

À ces pratiques peuvent s'ajouter aussi l'obligation d'effectuer des tâches domestiques dites masculines comme s'occuper du jardin ou réparer des objets de la maison. Ces tâches et activités reviennent fréquemment dans les récits. Les parents tentent par la pratique de construire la masculinité de leur enfant. En parallèle, ils répètent régulièrement à leur enfant qu'elle n'est pas une fille mais un garçon.

Cependant, ce n'est pas parce que les parents tentent de construire le genre de leur enfant que forcément ils y arrivent. Les enfants trans ont une marge d'action, qu'elles revendiquent surtout à partir de l'adolescence. Vis-à-vis du domicile familial, lieu de restriction de la féminité, le collège est le lieu où elles peuvent se vêtir et se comporter de manière féminine. Les parents cherchent alors des traces et des preuves de cette féminité qui est cachée à leurs yeux :

3 Nina ne fait pas partie de la liste de portrait ci-dessus car elle a été une collaboratrice secondaire durant la recherche.

Mon père fouillait tout ! Mes parents, mon père, ma mère, ils fouillaient tout ! [Ami].
Il avait chopé dans mon armoire des linges de femme, des perruques, des talons [Elsa].

Une fois le pot aux roses découvert les parents mettent en place de nouvelles restrictions afin d'empêcher la féminité de leur enfant. Ces restrictions peuvent être financières comme ce fut le cas pour Joy :

Lorsque mon père a vu cette transformation, quand j'ai commencé à me mettre en fille le soir, il a commencé à me couper les vivres et il ne voulait plus me donner un centime.

Cette restriction financière peut aussi concerner les études, la mère de Terupe n'a jamais voulu l'aider à payer un billet d'avion afin qu'il continue ses études supérieures en France de peur qu'il ne se prostitue là-bas. Les restrictions peuvent aussi concerner les fréquentations, Ami se voyait interdite de rester avec des filles :

Quand mes parents me voyaient avec des filles c'était l'engueulade.

Dans certains cas, ces restrictions ne suffisent pas et les enfants affirment de plus en plus leur féminité. Se mettent en place alors diverses pressions et violences physiques, comme ce fut le cas pour Elsa :

Mon papa n'acceptait pas vraiment ce côté-là parce qu'il voulait que je sois un garçon. Du coup les petites fautes pas trop graves pour lui c'était des grosses bêtises. Du coup je me faisais taper, c'était pas des petits tapés, c'était la ceinture, c'était du rossé.

Dans ces divers cas, j'ai remarqué que les décisions prises au sujet de la féminité des enfants trans n'étaient pas partagées au sein du domicile familial. Certains membres de la famille acceptaient la féminité de l'enfant. Mais une personne semblait avoir plus de pouvoir que les autres pour agir sur cette féminité et généralement ce ou cette chef.fe de famille était contre. J'ai donc analysé plus en détail les discours sur les interactions avec cette ou ce membre de la famille.

Les chef.fe.s de famille

Dans les discours et récits des personnes trans sur leurs familles, il y a toujours un personnage qui focalise leurs propos : la ou le chef.fe de famille. Cet individu posséde le capital économique, symbolique et social du *fēti'i* (Bourdieu, 2016). Cette situation lui confère une position de pouvoir vis-à-vis des autres. Elle ou il est l'actrice ou l'acteur clé des négociations et de la construction identitaire des enfants trans, comme le décrit Terupe :

> *Ma maman, j'attendais beaucoup d'elle parce que chez nous c'est ma maman qui, intellectuellement parlant, avait le dessus sur mon papa. Elle était instit', elle venait d'une bonne famille. Donc on attend plus de compréhension des gens qui sont censés avoir plus d'ouverture d'esprit. Et ça n'a pas été le cas.*

Terupe a eu des interactions conflictuelles avec sa mère au sujet de sa transgenralité. Parfois, il arrive que les chef.fe.s de famille décident de soutenir la féminité de leur enfant. Le père d'Hani l'a beaucoup aidé dans la construction de sa féminité et l'a, à de nombreuses reprises, soutenues lors d'expériences malheureuses avec d'autres personnes de leur entourage. Cependant, il faut reconnaître que dans la majorité des cas la féminité des enfants trans n'est pas acceptée par la ou le chef.fe de famille. Sont alors mises en place diverses stratégies afin d'obliger l'enfant à être « masculin ». Quand les négociations verbales échouent, certains parents se servent de la violence physique afin de contraindre leur enfant à endosser une masculinité :

> *Je me faisais sermonner. Toutes les nuits, mon père venait dans ma chambre pour me sermonner. Par exemple, il venait à 19h dans ma chambre, il pouvait me sermonner jusqu'à 22h ou 23h tous les soirs. C'était vraiment du bourrage de crâne. (...). C'est quand je suis passée au collège que là ce n'était plus des petites engueulades. Mais là, ça a commencé à en venir aux mains. J'ai commencé à me faire taper par mon père.(...). Mon père me frappait avec la ceinture, voilà, il voulait que je sois un garçon.* [Ami]

Une fois les enfants adultes et ayant quitté le domicile familial, certains parents en viennent à accepter cette féminité qu'ils ont réprimandée durant de nombreuses années. Le genre et la sexualité des personnes trans n'est, de ce fait, peut-être pas le motif principal des conflits avec leurs parents. Une réflexion de Joy m'a amené à penser cet aspect d'un autre point de vue. Lors d'un entretien elle a eu ces mots :

Après, vis-à-vis de la famille elle-même, il y en a qui les accepte et il y en a qui les rejette. Parfois c'est pas forcément par rapport à la sexualité, c'est par rapport à leur attitude tout simplement.

Au-delà de la non-acceptation de la transgenralité ce sont les comportements et les pratiques des personnes trans qui semblent poser des problèmes au sein de la famille. Après ma recherche il me semble difficile de définir ce que l'on pourrait appeler des attitudes trans ou de trouver dans les faits des pratiques communes à l'ensemble des personnes trans qui permettraient de comprendre les conflits entre dominant.e familial.e et enfant trans. Ces attitudes de *raerae* font souvent parties de l'imaginaire collectif sur les trans en Polynésie :

Bien sur ma maman avec toutes ses idées dans la tête, [pour elle] on fait le trottoir dans la cour du voisin. C'est parti de là. Elle était persuadée de tous les a priori que les gens ont : raerae égal prostitution, drogue, alcool. Elle pensait que j'étais à fond là-dedans. Alors que pas du tout. [Terupe]

Les personnes trans sont discréditées dès le plus jeune âge à partir du moment où elles se féminisent. Afin de comprendre ce phénomène il est moins important de questionner leurs attitudes que leurs relations avec les autres (Goffman, 1963) et ici plus particulièrement leurs relations avec leurs *fēti'i*. Dans ce type de relation les personnes associent la transgenralité à un ensemble de stéréotypes qui discrédite les personnes trans. Leur transgenralité devient ainsi un stigmate, un marqueur de différence vis-à-vis des autres, leur assignant une place au-delà des normes. Dans l'imaginaire collectif, cette stigmatisation les place d'office dans un rôle déviant, déconnecté de la « normalité ». De peur du *ha'amā*[4] et de l'assignation de ce même stigmate à l'ensemble des *fēti'i*, les personnes en charge du capital social et symbolique, autrement dit la ou le chef.fe de famille, doivent maintenir en public une image masculine de leur enfant. Terupe a souvent ressenti cette pression durant son adolescence quand sa mère lui répétait sans cesse *Qu'est-ce que vont dire les gens ?* Ami aussi a vécu des expériences similaires, surtout lors des sorties dominicales à l'église :

4 *Ha'amā* : honte, sentiment puissant de contrôle social dans la société tahitienne.

Il était hors de question pour moi de faire mon raerae à l'église. Je te jure, parce que sinon je me faisais tabasser. Hors de question que je fasse ma fille. Si on venait lui dire, si un des paroissiens disait : « Ah, ton garçon il ressemble à une fille. Il est tout le temps comme ça ? », Je me faisais ramasser par mon père en rentrant à la maison. C'était la ceinture, le balai, voilà, je me faisais tabasser.

Pour son père, maintenir une image masculine d'Ami revient à conserver son statut social au sein de leur communauté religieuse et au sein de la société tahitienne. Les interactions entretenues avec les personnes extérieures aux *fēti'i* servent de contrôle social. Lors de ces échanges se jouent et se rejouent l'ordre social. Les parents se sentent menacés de perdre le statut de normal au profit de celui de déviant si l'on apprend que leur enfant est trans (Goffman 1974 ; Becker, 1985). Ce contrôle social peut parfois prendre des formes très institutionnalisées. Les services sociaux peuvent entrer en matière lorsque l'ordre normatif des genres ne semble pas être respecté au sein d'une famille. Hani et sa famille ont dû longtemps faire face à cette situation. Ses parents lui ayant laissé la possibilité d'être une fille dès l'âge de ses 4 ans, ils ont dû faire marche arrière à la suite d'une enquête des services sociaux et laisser moins de liberté à leur fille. Que se soient les normes familiales ou plus généralement les normes genrées de la société tahitienne, les personnes trans semblent obligées en partie de s'y conformer. Cependant, même dans cette situation il ne faut pas nier leur capacité d'action. C'est pourquoi il est pertinent de questionner leurs stratégies et leurs marges d'actions face à ces normes.

Affirmation et dissimulation : être enfant trans à Tahiti

Afin de pouvoir rester au sein du domicile familial les personnes trans doivent négocier et mettre en place diverses stratégies pour être acceptées ou du moins tolérées. Les personnes ayant réussi à rester au sein du domicile familial expliquent cela par leur intelligence. Leurs facultés mentales sont pour elles un gage d'acceptation, comme l'explique Nina :

Je pense que j'ai eu de la chance parce que j'étais assez intelligente. Moi, je ne suis pas au niveau des absurdités. Et déjà très jeune j'étais, je ne veux pas dire que j'étais Einstein, mais il y avait quand même quelque chose. Je pense que ça a encore favorisé mon acceptation avec mes parents. Parce que tu vois mes parents c'était les études en priorité et tout le reste en dernier. Tant que je bossais bien à l'école, que j'étais très intelligente c'était ce qui comptait le plus. Et ça rendait fier mon père. Et c'est, je pense ce qui a fait qu'il a accepté, parce qu'il était fier de moi.

Dans le cas de Nina sa réussite scolaire a permis de faire accepter son statut de trans. Plus que l'intelligence à réussir un cursus scolaire, c'est l'intelligence à savoir s'adapter aux attentes familiales qui favorise l'acceptation. Stigmatisées à cause de leur féminité les personnes trans essayent alors de « rendre fière » leur famille d'une autre manière. Suivant les situations familiales, elles s'investissent totalement dans un domaine pouvant faire la fierté de leurs parents. Dans la plupart des cas, il s'agit des études. J'ai pu remarquer que les trans étant resté·e·s au sein du domicile familiale sont généralement les personnes les plus diplômées de la famille. Cette réussite dans les études semble compenser le *ha'amā* qu'elles ont pu engendrer à cause de leur féminité. Dans certains cas, cette volonté de rendre fier les parents peut aller jusqu'à cacher sa féminité et se convaincre soi-même d'être un homme. Ami, par exemple, a décidé de jouer le rôle de *māhū*, c'est-à-dire d'homme efféminé et non de trans, afin de ne pas décevoir ses parents. Elle en vient même à être élue à une élection de *Mister*[5]. A ce sujet elle raconte :

J'étais fière de rendre mon père fier de moi. Parce que mon père était fier de voir qu'il avait mis au monde un garçon et que voilà il avait un garçon. Moi j'étais très fière quand je voyais ses yeux briller. J'étais vraiment fière de moi, de mon père.

Cependant, pour Ami il fut impossible de devenir totalement un homme. Si auprès de sa famille elle agissait de manière masculine, elle a dû créer des lieux et des espaces cachés hors du domicile familial où elle pouvait être une fille :

En cachette je m'habillais en fille. Quand j'allais chez mes copines on s'habillait en fille. Quand il y avait des boums, je me mettais des hauts serrés, des soutiens gorges, je me mettais du maquillage.

5 Equivalent des concours de Miss pour hommes.

Parce que je voulais devenir une fille mais je ne pouvais pas le faire aux yeux de mes parents. Pour moi c'était pas possible.

Leur cacher sa féminité a eu un impact sur leurs interactions. Au fil de son adolescence, Ami osait de moins en moins interagir avec ses parents de peur qu'il découvre sa féminité. Durant les dernières années au sein du domicile familial, elle n'a quasiment plus aucune discussion avec eux :

J'ai essayé de ne pas trop parler, de ne pas faire de gestes brusques parce que je ne voulais pas décevoir mon père. […] À l'époque je ne pouvais pas tenir une conversation avec mes parents. C'était vraiment difficile d'entretenir une relation parce que je me cachais.

Ne voulant pas faire honte à sa famille Ami a décidé de ne pas affirmer sa féminité. Pour cela elle cache ses pratiques féminines et évite les interactions avec ses parents. Afin de l'aider dans ce contexte particulier, Ami a pu compter sur le soutien de ses sœurs. En effet, si les parents sont rarement favorables à la féminité de leur enfant, cette dernière peut trouver du *tauturu*[6] auprès d'autres membres de la famille. Dans le cas d'Ami ses sœurs lui ont permis de grandir et d'être élevée dans un milieu de femmes. Lorsque les interactions avec ses parents devenaient compliquées, ses sœurs l'ont conseillée et aidée à mettre en place une stratégie afin qu'elle puisse rester au sein du domicile familial :

C'était mes sœurs qui jouaient le rôle de mère. Ce sont elles qui me disaient ce qu'il fallait faire et tout. Comme dans ma famille on a toujours eu le respect pour notre père, elles me disaient à chaque fois « écoute papa », « fait ce que papa dit », « ne va pas à l'encontre de ce que papa dit, tu es un garçon même si nous on sait que tu es notre petite sœur. Mais il faut que tu écoutes papa ».

Les *fēti'i* peuvent donc être perçus comme un réseau de ressources face aux pressions et restrictions de certains parents. Dans les cas où des trans plus âgées sont membres de la famille, le réseau familial devient alors une ouverture vers le milieu trans. Par exemple, Elsa s'est initiée à son rôle de trans grâce à sa tante :

6 *Tauturu* : aide et soutien.

C'était une tante à moi, enfin entre guillemets mon tonton. C'est elle qui m'a, comment on appelle... qui m'a transformé pour la première fois. C'est-à-dire m'habiller, mettre des perruques, me maquiller. C'est elle qui m'a un peu initiée (...), qui a commencé à m'habiller en femme.

Les *feti'i* ne doivent pas être appréhendé.e.s comme un obstacle à la transgenralité. Certains membres du réseau familial peuvent aider ou pousser la féminité quand d'autres la freinent et l'interdisent. Afin de construire leur identité et leur rôle au sein de la famille les personnes trans négocient avec les différents actrices et acteurs afin de légitimer leur statut. C'est au travers de ces négociations que se dessinent les trajectoires de vie. Au travers des choix qui sont faits et des personnes qui sont privilégiées, les trans façonnent leur construction identitaire. Dans les paragraphes précédents je me suis concentrée sur les situations où les enfants trans étaient resté·e·s au sein du domicile familial mais il existe des cas où les choix effectués ne sont plus compatibles avec les normes imposées par les parents. Dans ces cas où les négociations ont échoué, les personnes trans n'ont d'autre choix que de quitter le domicile familial. Quelles en sont les raisons ? Comment cela se passe-t-il ? Quelles sont les relations parents/enfant par la suite ?

Quitter le domicile familial

Le départ du domicile familial peut être perçu comme un changement conséquent dans les trajectoires de vie de chacune. D'un quotidien partagé avec et dépendant des parents, les enfants quittant le domicile familial peuvent choisir les normes et pratiques qu'elles souhaitent mettre en place. De ce point de vue, la sortie du domicile familial semble être une chance pour les trans qui ne peuvent pas s'affirmer chez leurs parents. Cependant, lors de mes entretiens j'ai pu me rendre compte que certains départs avaient été des expériences très dures à vivre.

Choix du départ

Les choix du départ varient autant que les contextes familiaux. Il n'est pas possible d'analyser de la même manière tous les départs car ils sont intimement liés au contexte familial et aux trajectoires de vie de chacune. Afin de rendre compte des réalités et du vécu des personnes je souhaite décrire quelques-unes de ces situations. La variété des récits met en avant la complexité des expériences de vie. J'ai pu définir tout de même deux types de départ : les départs décidés et les départs incités. Dans le cas du départ incité, ce sont les parents qui demandent à leur enfant de faire un choix. Le père d'Elsa lui a ainsi posé un ultimatum vers ses 15 ans :

> *Il m'avait demandé si je veux faire mon travesti, je le fais en dehors de chez lui. Voilà et puis si je reste sous son toit je fais comme lui il veut que je sois. Du coup j'ai choisi la route. Oui. J'ai pris mes bagages, je suis allée sur la route.*

Le père d'Elsa lui énonce clairement les choix dont elle dispose, soit être un garçon au sein du domicile familial soit une trans dans la rue. A la suite de cet événement Elsa décide de quitter le domicile familial afin d'exprimer sa féminité. Il se peut que dans certains cas les choix ne soient pas énoncés de manière si directe. Terupe a quitté le domicile familial à la suite d'une énième dispute avec sa mère au sujet de ses comportements féminins. Même si cela n'est pas formulé de la même manière Terupe a eu aussi un choix à faire entre stopper ses attitudes féminines ou quitter le domicile familial. Le départ peut aussi être incité par des motivations plus urgentes comme ce fut le cas pour Beverly. Elle raconte que lors de son adolescence elle a décidé de devenir femme du jour au lendemain. Son père n'acceptant pas ce changement pense à la tuer. Menacée, elle devra fuir un soir de chez elle pour sauver sa vie. Dans tous ces départs incités par les parents, j'ai noté que c'est à partir du moment où les trans affirment leur féminité, que les parents obligent leur enfant à choisir soit de se masculiniser rapidement soit de quitter le domicile. Ce type de départ est souvent précipité. L'événement qui amène à partir est rarement prémédité et agit comme une goutte d'eau qui fait déborder le vase. Généralement adolescentes, les personnes trans ayant vécu de telles expériences se retrouvent à la rue avec peu de ressources. Elles doivent alors trouver un endroit pour se loger et de quoi vivre. Je développerai dans les prochains chapitres les différentes stratégies qui peuvent être mise en place afin d'avoir accès à des ressources économiques. Concernant les personnes évoquées dans les exemples ci-dessus : Elsa a trouvé refuge chez des trans qu'elle a croisées dans la rue, Terupe a vécu quelques mois dans la rue avant de se faire héberger chez une de ses tantes et Beverly, quant à elle, est partie vivre chez ses grands-parents. Il est intéressant de noter que les *fēti'i* restent l'une des principales ressources de *tauturu* pour les personnes trans démunies.

Tous les départs du domicile familial ne se font toutefois pas sur l'incitation des parents. Certaines décident pleinement de leur départ. Ami par exemple a attendu la fin de ses études et son premier emploi avant de quitter le domicile familial et vivre de manière indépendante. Joy est partie à la suite de la rencontre d'un homme avec lequel elle avait décidé de vivre. Dans ces cas où le départ a été décidé par la personne, les choix sont réfléchis et prémédités. Les interactions avec les parents ne sont pas coupées subitement. Qu'il soit décidé ou incité, le départ marque un changement dans les trajectoires de vie. Il amène les personnes trans à plus d'autonomie et d'indépendance vis-à-vis de leur statut d'enfant au sein du domicile familial. Le départ ne doit pas toutefois être compris comme une fin des interactions entre les trans et leur famille. Dans les récits, j'ai pu remarquer que, même dans les cas où il avait été incité, les personnes restent toujours en interaction non seulement avec leurs *fēti'i* mais aussi avec leurs parents. Il n'est pas rare que les parents ayant poussé leur enfant à partir acceptent leur féminité par la suite.

Les relations familiales après le départ

Dans la plupart des situations j'ai noté que les interactions tendent à devenir moins conflictuelles lorsque la personne trans ne vit plus chez ses parents. Cela peut s'expliquer par le fait que s'éloignant du domicile familiale les personnes trans éloignent en même temps les risques de *ha'amā* sur leurs apparenté.e.s. Il est dès lors plus facile pour les parents d'accepter la féminité de leur enfant. Ce changement, peut être vécu comme une nouvelle dynamique dans la construction identitaire comme le raconte Ami :

> *Nos relations se sont vraiment améliorées et je me sentais épanouie, vraiment. Pour la première fois, j'arrivais à avoir une conversation normale avec mes parents. Ils n'étaient plus là à me dire « soit un garçon, soit une fille ». Ils m'acceptent comme je suis et nos*

relations se sont ouvertes. J'étais vraiment épanouie et ça m'a fait du bien. J'étais bien. Ça y est, ils m'acceptent en tant que telle... il n'y a pas de mot pour expliquer ça parce que c'est toujours quelque chose que j'ai voulu avoir, avoir une relation normale.

Ce changement de point de vue de la part de ses parents, l'a motivée à continuer d'affirmer sa féminité sur la scène publique dans l'espoir qu'un jour l'ensemble de la société ne la perçoive plus comme déviante. J'ai pu aussi observer cette progressive acceptation de la féminité de la part des parents qui avaient incité le départ de leur enfant. Le père d'Elsa, qui lui avait posé un ultimatum, est par la suite revenu vers elle :

Mon père a voulu me revoir et m'a accepté telle que je suis. Il avait mis 2-3 ans à accepter. Parce que j'avais disparu, j'étais plus revenue à la maison, j'étais avec les copines. Et puis peut-être c'était ce manque de me voir. Finalement il a accepté mon état. Moi je n'y croyais pas parce que mon papa il accepte pas du tout, il comprend pas les gens comme nous. Mais après je sais pas, j'étais étonnée qu'il m'accepte telle que je suis. Du coup je peux rentrer chez moi quand je veux, il y a pas de soucis. Au contraire je lui manque.

Pour Elsa c'est son père qui a entrepris la démarche afin de la revoir, mais il se peut que le parent qui a incité au départ soit contraint d'accepter la féminité de son enfant. Pour Beverly, son père l'a finalement accepté après un ultimatum posé par sa mère. Mais elle n'a plus jamais voulu retourner vivre chez ses parents. Après le départ certaines interrelations peuvent rester conflictuelles. Dans le cas de Terupe : après plusieurs années sans parler à sa mère à la suite de leur dispute, il a décidé de lui pardonner car il a besoin de son aide afin de financer ses études. Elle refusa. Leurs interactions par la suite alterneront entre pardon, refus et disputes jusqu'à ce qu'un jour leurs interactions s'apaisent :

Ma maman, elle est malade maintenant. Elle a fait un AVC donc elle a du mal à parler. C'est malheureux à dire mais ça se passe mieux depuis.

Même si les interactions sont marquées par de multiples conflits entre les trans et leurs parents, je n'ai rencontré aucune personne qui avait totalement coupé les liens avec ses parents et encore moins avec l'ensemble des *fēti'i*. Cela peut sans doute exister mais je n'ai pu l'observer et l'analyser lors de cette étude. Les *fēti'i* étant des réseaux de ressource et de *tauturu* considérable à l'échelle de Tahiti et dans le contexte Polynésien plus largement, il est difficile de totalement s'en couper, tout comme il est difficile de subvenir à ses besoins matériels sans le *tauturu* familial. Maintenir des interrelations avec divers membres de la famille est donc d'une certaine manière une nécessité pour les trans même si au sein de cette même famille elles peuvent être stigmatisées et marginalisées.

L'enfance des personnes trans à Tahiti est marquée par les contraintes liées aux normes genrées imposées par leurs parents ou par des instituions se substituant au pouvoir parental. Les restrictions et les pressions varient suivant les situations familiales. Les stratégies mises en place ne sont donc pas identiques mais j'ai tout de même relevé des points communs entre les différentes trajectoires de vie : l'importance portée à cacher la féminité non seulement de la part des personnes trans envers leurs parents mais aussi de la part de la famille envers le reste de la société, l'aide de personnes tierces au sein de la famille afin qu'elles puissent vivre leur féminité et le choix du départ du domicile familial comme seule alternative lorsque les parents n'acceptent pas l'affirmation de la féminité de leur enfant. Ces premières expériences ont eu une influence sur les constructions identitaires de chacune. Les interactions entre parents et enfants marquées parfois par des violences symboliques ou physiques, peuvent être perçues comme formatrices. Terupe me disait en parlant de sa mère :

> *Quelque part aujourd'hui je l'en remercie parce que c'est ce qui m'a motivé à ne pas justement aller dedans [prostitution] et lui prouver le contraire.*

Pour d'autres, elles sont une première expérience des contraintes qu'elles rencontreront durant toute leur vie. L'acceptation de leur féminité par l'ensemble de leur famille peut être alors vécue comme une victoire :

> *Moi j'ai écouté qu'un seul homme dans ma vie et c'était mon père. Aujourd'hui qu'il est avec moi, plus rien ne m'arrête. Ils ne pourront plus m'arrêter, vraiment.*

Ces mots d'Ami montrent son ambition à s'affirmer encore plus sur la scène publique. Cependant, si elle a réussi à être acceptée par son père, qu'en est-il des autres hommes présents dans sa vie ? Comment sont les relations entretenues entre les personnes trans avec les hommes ?

BAR

Enjeux et relations avec les hommes

Les interrelations avec les hommes sont centrales afin de saisir toute la complexité du statut de trans au sein de la population tahitienne. Ami met en avant l'importance des hommes dans sa construction identitaire :

> *Pour moi c'est sûr, si je suis avec un homme je suis une femme, parce que je suis restée avec un homme.*

Dans cette dualité hétéronormée[7] où la femme et l'homme sont appréhendé.e.s comme deux éléments complémentaires d'un tout, les personnes trans mettent en place des stratégies afin de construire et de légitimer leur féminité. Je propose dans ce chapitre d'analyser, du point de vue des personnes trans, les interrelations entretenues avec les hommes. Je commencerai par développer les rôles et pratiques sexuelles essentielles à la compréhension des divers positionnements des trans. Puis j'aborderai les aspirations de couples qui amènent à concevoir l'homme non seulement comme un appui affectif mais aussi comme une ressource économique, un risque de déviance et un élément clé d'une idéologie de la vie stable. Pour finir je mettrai en lumière l'influence des hommes dans les trajectoires de vie des personnes trans afin de faire ressortir les rapports et enjeux de pouvoir qui peuvent exister entre homme et trans.

Pratiques et rôles sexuels

Les personnes trans sont largement assimilées, dans le sens commun, à la sexualité : récits historiques à propos des *māhū* sur leur rôle dans les initiations sexuelles, mise en avant de la prostitution des *raerae*, chirurgie plastique prônant des corps féminins hypersexués. La sexualité et plus particulièrement les relations sexuelles avec les hommes sont omniprésentes dans les discours sur la transgenralité à Tahiti. Lors des entretiens cette thématique était récurrente. Plus qu'une pratique, la sexualité semble devenir constitutive d'une identité trans à Tahiti comme en témoigne Ami lors d'une de nos discussions :

---

7 Par hétéronormativité j'entends l'institutionnalisation et l'hégémonie culturelle de l'hétérosexualité (Mc Nielsen, Walden and Kunkel, 2009).

C'est après que j'ai compris que c'était pour moi une phase initiatique pour passer vraiment le cap de petit garçon à petite fille. J'ai eu mes premières relations et c'est là vraiment que j'ai compris ce que j'étais. J'étais une raerae.

Il me semble donc primordial de commencer cette partie concernant les interrelations avec les hommes en abordant les pratiques et les rôles sexuels de chacune afin de comprendre l'impact de la sexualité dans leur trajectoire de vie.

Actives/passives[8]

Un premier point se joue autour des rôles sexuels. Deux catégories se dessinent alors dans le sens commun : les actives qui ont des érections avec leur pénis durant les rapports sexuels et les passives qui n'en ont pas. La différence entre ces deux catégories semble primordiale pour certaines :

A savoir que je suis passif. Je ne suis pas actif(...). Il y a une définition de trans : une vraie trans, pour mon psychiatre, c'est une personne qui se sent vraiment femme, c'est-à-dire qu'elle n'utilise vraiment pas son sexe, son sexe masculin. [Hani]

Ne pas « utiliser » son pénis et ne pas avoir d'érection est un élément central dans la légitimation de la féminité. Lors d'une première discussion avec Joy, cette dernière me disait que, selon elle, les personnes étant actives sont en fait des *māhū* car elles ne veulent pas être des femmes, mais elles veulent ressembler à des femmes tout en ayant des activités sexuelles d'homme. Pour les personnes trans souhaitant changer de sexe la sexualité est basée sur des rôles masculins, actifs, et des rôles féminins, passifs :

Pour moi, c'est un garçon qui jouit, qui éjacule. C'est pas une fille. Une fille n'éjacule pas, parce que déjà une fille n'a pas de pénis. Donc pour moi, je ne veux plus jouir parce que ça me ramène à mon état de garçon. [Ami]

Cette vision hétéronormée de la sexualité leur permet de légitimer leur choix et leur envie de changer de sexe. Si elles ne sont pas actives sexuellement alors c'est la preuve qu'elle sont des femmes. De plus, souvent sous traitement hormonal, certaines redoutent qu'en éjaculant, elles libèrent les hormones

8 Les termes « active » et « passives » sont issus du terrain, il ne reflète aucunement une interprétation de ma part.

féminines qu'elles ingèrent. L'emploi du terme passif est fort en signification. Le principal rôle sexuel féminin se résume dès lors à ne rien faire. Cet aspect est souligné par le refus des personnes à jouir car leur jouissance est assimilée à l'éjaculation masculine. La jouissance féminine est très peu abordée car inconnue et réservée aux femmes. Lors d'un souper, Joy, qui a été opérée il y a de nombreuses années et qui est légalement une femme, racontait à d'autres trans comment est le plaisir féminin et comment elle a dû apprendre à avoir ce plaisir à la suite de son opération. Ne pouvant pas ressentir ce plaisir, les autres agissent suivant les désirs et plaisirs de leur partenaire. Cependant, l'ensemble de la population trans n'a pas les mêmes pratiques sexuelles. D'autres sont actives, assument avoir des érections et du plaisir avec leur pénis et ne souhaitent pas changer de sexe de peur de ne plus avoir de plaisir par la suite. Durant l'acte sexuel, les rôles sont alors choisis selon les désirs du partenaire comme le raconte Elsa :

> *Ça dépend des hommes. Parce qu'il y a des hommes qui sont passifs, d'autres qui sont actifs, d'autres les deux. En fait moi je m'adapte à la situation.*

Même si elles sont actives, dans leur pratique sexuellee, les stéréotypes genrés concernant la passivité, de sexualité féminine sont présents. Le choix des rôles est laissé au partenaire. Etant considérées comme actives, elles n'en sont pas moins passives dans le choix de leur rôle.

Homosexualité/hétérosexualité

Ces enjeux de légitimation et de plaisirs individuels dans les pratiques sexuelles font écho à diverses définitions des sexualités. Comment définir les sexualités liées aux personnes trans ? Homosexualité ? Hétérosexualité ? Ou ni l'un ni l'autre ? Mon but n'est pas de trouver des réponses à ces questions mais d'appréhender comment les personnes définissent leurs propres activités afin de se positionner. Les personnes voulant devenir femme se considèrent comme hétérosexuelles. En effet, si elles définissent leurs pratiques comme homosexuelles, elles revendiquent une identité masculine et non féminine. Cependant, au début de leur vie sexuelle certaines se posent des questions au sujet de leurs désirs :

> *Au début je pensais que peut-être j'étais homosexuel mais en fait je me suis rendue compte petit à petit que c'est pas du tout le chemin dans lequel je devais être* [Joy].

Terupe, qui lui se définit comme *gay*, lie ce questionnement sexuel au choix de son genre :

> *À l'adolescence et au début de la vie d'adulte, c'est plus ou moins la même chose, (...) le choix s'effectue entre : est-ce que je suis femme ou est-ce que je reste un homme ?*

Dans la suite de l'entretien il raconte son choix de se féminiser afin de correspondre aux normes hétérosexuelles :

> *Je trouvais ça rigolo au début. Ne sachant pas trop si j'allais plaire aux garçons c'était pour moi une facilité. Ça a été une facilité de m'habiller en fille. Quand tu veux un garçon, la logique des choses, la normalité veut que le garçon aime la fille. Donc si tu aimes un garçon et que tu es un garçon, le plus simple pour toi c'est de t'habiller en fille ou d'en devenir une. C'est plus fatigant et pas forcément plus facile. Enfin, c'est plus facile pour la relation homme/femme mais pour le reste c'est plus compliqué.*

Ces interrogations identitaires soulignent la double interaction entre les pratiques sexuelles et le genre. En refusant l'idée de l'homosexualité les individus renforcent leur identité féminine et en se considérant comme femme elles rejouent la norme hétérosexuelle. La situation d'Elsa est intéressante pour saisir l'imprégnation de l'hétéronormativité dans les pratiques sexuelles. Elsa est bi-sexuelle, elle a eu des relations sexuelles avec des hommes et avec des femmes. Cependant, elle me racontait que lorsqu'elle était avec des femmes elle ressentait une gêne à cause de son corps féminin. Pour elle, les femmes sont attirées par des hommes et non par des trans. Durant les relations intimes qu'elle entretenait avec des femmes, elle se sentait gênée par ses formes et sa féminité. La norme hétérosexuelle est toujours présente car pour Elsa une femme ne peut avoir du désir que pour un homme. Au contraire ce sentiment de gêne n'est jamais survenu lorsqu'elle était avec des hommes :

> *Quand je suis avec un homme je ne suis pas gênée, parce que les hommes ils aiment mon côté trans.*

Cette situation particulière met en avant que l'hétéronormativité ne se joue pas uniquement au niveau des pratiques sexuelles mais suivant l'apparence des corps et des désirs qui devraient y être liés. En ce sens et en théorie, les trans et les femmes peuvent légitimement désirer des hommes et leurs être désirables.

Les choix faits au début de la vie sexuelle ne sont pas définitifs. Le genre et la sexualité, comme tout autre aspect de la vie sociale, sont dynamiques.

Terupe, après s'être féminisé durant quelques années, a décidé de vivre en tant qu'homme homosexuel :

> *J'ai eu ma période de doute parce que je savais qu'en fille je plaisais. Je plaisais, je me faisais draguer, je draguais. Voilà c'est facile. Mais là c'était le changement radical. De la jupe et du top je suis passé au pantalon jeans avec le pull et la barbe (rire) ! J'ai tenté l'expérience. On devait aller à une soirée prévue pas loin de chez nous. Je suis sorti. Je me suis dit on va voir ce que ça va donner. C'est passé. J'ai réussi à draguer, je me suis fait draguer et tout. Je me suis dit que ce soit l'un ou que ce soit l'autre c'est possible, donc pourquoi me compliquer la vie avec tous ces accessoires ? Je suis fiu[9] (rire).*

Un autre exemple est celui d'Ami qui après avoir longtemps joué le rôle de garçon efféminé pour plaire à ses parents a décidé de devenir une femme et a commencé un traitement hormonal :

> *À l'époque quand je faisais l'amour avec des hommes, je jouissais aussi, j'éjaculais. Alors qu'aujourd'hui non. Les hormones ont totalement stoppé ma libido. Enfin, si tu veux, comment dire... ma libido est toujours là, quand je vois un mec j'ai envie de lui sauter dessus, j'aime toujours faire l'amour et tout, mais jouir pour moi c'est impensable. Parce que d'un, tu ne ressens plus le besoin de jouir et de deux, pour moi jouir me rappelle à mon époque de garçon, au moment où j'aimais jouir.*

Il est possible pour les individus d'effectuer des mobilités de genre (Beaubatie, 2017) au cours de leur vie. Ces dynamiques auront pour effet une modification des pratiques sexuelles ou de leur perception sur la scène sociale. En tant que trans, Terupe pouvait revendiquer une hétérosexualité mais devenant homme il devient aussi homosexuel alors que ses pratiques sexuelles elles-mêmes n'ont pas changé. Inversement, Ami voit dans son changement de genre l'obligation de changer ses pratiques sexuelles afin de correspondre à sa nouvelle identification au genre féminin. Il y a bien une double interaction entre le statut de genre qui implique des pratiques sexuelles genrées et les pratiques sexuelles qui légitiment le statut de genre.

Qu'est-ce qui attire les hommes ?

Si pour les personnes trans être attirées par des hommes semble aller de soi, le fait que des hommes aient du désir pour des trans soulèvent des interrogations :

---

9 *Fiu* : Être en proie à une grande lassitude (Larousse.fr).

Je n'ai jamais su quel mec allait avec une transsexuelle. C'est un peu compliqué parce qu'un trans c'est une personne qui se revendique femme. Elle ne se revendique pas mec. Et les homosexuels aiment les vrais hommes. Alors j'étais toujours perdue. Comment trouver un mec ? [Hani]

Le point central de ce questionnement est de savoir si les hommes ont des rapports sexuels avec les trans pour leurs comportements féminins ou pour leur sexe masculin. Dans cette recherche je n'ai pas souhaité avoir les récits des hommes en question. Me focalisant sur le point de vue des personnes trans, j'ai saisi uniquement leurs perceptions et leurs vécus de la sexualité masculine et l'impact qu'a celle-ci sur leur propre sexualité et leur identité de genre. Ami raconte une diversité de comportement de la part des hommes et son ressenti :

Il y a des hommes qui aiment me sucer. Il y a des hommes qui aiment la queue. Comme il y en a d'autres qui ne l'aiment pas, ils veulent vraiment avoir affaire à une femme. Donc avoir un sexe masculin devant eux, il est hors de question. Donc je ne leur montre pas mon sexe. On le fait par derrière et tout, mais voilà il est hors de question que je leur montre mon truc, mon sexe. De toute façon moi ça m'arrange.

Ami préfère les relations durant lesquelles elle peut cacher son sexe afin de jouer un rôle féminin. D'ailleurs depuis qu'elle est sous traitement hormonal elle a de plus en plus de mal à avoir des érections, ce qui légitime un peu plus son statut de femme dans une relation hétérosexuelle. Les discours rapportés ici tendent à montrer que les trans et les femmes pourraient avoir le même statut. Or, dans la vie quotidienne à Tahiti il y a une hiérarchie forte entre les femmes qui seraient, selon le sens commun, le premier choix des hommes et les trans qui seraient le second. Certaines de mes collaboratrices refusaient de faire des sorties dans des bars ou des boîtes de nuit avec moi du fait que j'étais une femme et qu'un homme serait venu en premier vers moi et non vers elles. Même si dans les discours chacune tend à légitimer des rôles sexuels féminins, sur la scène publique les relations avec les hommes sont souvent cachées et, hormis la prostitution, difficiles à avoir. Si bien que certaines se prostituent par jeu afin de découvrir des hommes qui les désirent. Pour Joy cette situation est « hypocrite » car cachée et uniquement basée sur des activités sexuelles :

Il y a énormément de transsexuelles qui sont prostituées ou des travestis qui sont prostitués et souvent ce sont des hommes mariés qui les voient. Ou alors ils sont sur des sites tel que « Plan cul de Tahiti » où il n'y a que des hommes avec des raerae, des travestis ou des trans. Et donc il y a plus de 1 000 personnes qui sont dessus et c'est des hommes qui sont en général hétéros.

Lorsque les relations entretenues avec des hommes sont essentiellement sexuelles ces derniers connaissent le genre de leur partenaire. Cependant, il arrive qu'une trans passe réellement aux yeux des hommes qu'elle fréquente pour une femme. C'est le cas par exemple de Hani :

La plupart ils sont hétéros mais après quand ils savent que je suis trans, ils se sentent bizarres, parce qu'ils ont l'impression de se sentir gay. Je ne sais pas comment le dire vraiment, mais voilà ils pensaient que j'étais une femme. Après ils se disent « ouah, c'est une trans ». Du coup ils ne savent pas où se placer et tout. Ils se pensaient purs hétéros. Mais ils sont toujours hétéros avec moi parce que j'ai toujours ma personnalité. C'est juste qu'ils n'auraient jamais pensé un jour poser les yeux sur une transsexuelle.

Les réactions des hommes à la suite de la révélation de son genre mettent en avant les enjeux de positionnement entre homme et trans et les stratégies mises en place afin de jouer l'hétéronormativité dans la suite de la relation.

Aspirations de couple

Au-delà de la sexualité, les hommes peuvent être aussi perçus comme des partenaires de vie. Avoir un homme avec lequel partager sa vie semble essentiel pour certaines :

Je ne suis pas encore épanouie. Je ne suis toujours pas épanouie. Il me manque encore quelque chose. Et ce qu'il me manque c'est la présence d'un homme dans ma vie. Parce que j'ai toujours affronté ma vie seule et aujourd'hui j'ai envie de vivre ma vie à deux. [Ami]

Le terme « épanouie », dans ce contexte, n'est pas anodin. Il transmet l'idée que pour avoir une vie de femme, Ami a besoin d'avoir une relation conjugale avec un homme. Cette envie semble répondre à l'attente hétéronormative qui considère les genres femme et homme comme seuls possibles et complémentaires. Ami ne peut se sentir épanouie en tant que femme car personne ne remplit les rôles masculins dans sa vie. Avoir un homme faciliterait sa vie quotidienne et légitimerait son identité. La plupart des personnes que j'ai rencontrées aspiraient ou ont aspiré à avoir une vie de couple avec un homme afin d'avoir un soutien affectif, des ressources financières et/ou encore fonder une famille.

L'homme comme ressource économique

Il n'y a pas d'antagonisme entre le sentimental et l'économique. Ces deux champs sont entremêlés dans les interrelations (Zelizer, 2001). Je prendrai en compte dans mon analyse non seulement les relations conjugales mais aussi les relations où l'affection est monnayée comme par exemple l'escort. De ce point de vue et pour reprendre les écrits de Paola Tabet il n'y a pas d'opposition entre le mariage et la prostitution mais au contraire un continuum. En effet, dans ces deux types de relations on trouve des échanges économico-sexuels et dans ce cadre l'argent doit être pris en compte comme un marqueur de différences sociales entre les femmes et les hommes (Tabet, 2004), cette recherche entre les hommes et les trans.

Les expériences de vie d'Elsa mettent en avant ce lien ténu entre l'affectif et l'économique dans les relations avec les hommes. Plus jeune, elle a eu divers conjoints. A l'époque elle ne travaillait pas et se faisait entretenir par eux. Certains voulant l'aider dans sa transformation et lui ont payé, à sa demande, des opérations de chirurgie plastique. Maintenant depuis dix ans, elle a un emploi stable et elle vit depuis célibataire. N'ayant pas besoin d'un homme pour vivre économiquement elle ne prend plus le premier venu :

> *Je veux un homme qui a les moyens et qui me plait. Oui, c'est simple, c'est tout simple. Un homme qui a les moyens et qui me plait. Pour l'instant il n'y en a aucun qui a les deux critères. C'est pour cela que je suis célibataire. J'ai pas envie de rester avec quelqu'un, de faire semblant ou qu'il ne me plait pas. C'est pour ça je refuse toute demande.*

Le fait qu'elle puisse subvenir par elle-même à ses besoins économiques, la rend plus exigeante qu'elle ne l'était par le passé. Aujourd'hui, Elsa veut avoir une relation conjugale avec un homme pour avoir un soutien affectif et une aide matérielle :

À deux, on s'en sort mieux. Toute seule tu peux, mais difficilement parce que t'es toute seule à payer. C'est un peu plus dur quand t'es toute seule.

Plus qu'une simple aide, les hommes peuvent être aussi perçus comme moteur d'une dynamique dans la vie des trans comme le raconte Ami :

Je veux faire ma vie avec un homme mais ça ne veut pas dire que je vais sauter sur le premier qui va arriver. Moi c'est sûr je veux rester avec un beau garçon. Pas beau mais potable. Je ne veux pas rester avec un homme sale ou clodo, vêtu comme ça. Je veux rester avec un homme charmant qui a eu aussi une bonne éducation, autant que la mienne et qui je sais va me tirer vers le haut. Je me suis tellement battue dans ma vie pour arriver à mon stade que moi je ne veux pas rester avec un homme pour le tirer vers le haut. Au contraire, je veux rester avec un homme qui va me tirer encore plus vers le haut.

Le choix du partenaire se fait en fonction des ressources qu'il peut investir dans la relation. Un médecin est connu du réseau trans pour avoir des relations uniquement avec des jeunes trans qui commencent leur transition physique. Une fois les personnes opérées, la relation est éphémère et il commence une nouvelle relation avec une autre trans. Cette relation offre à la personne trans en transition un soutien financier. Vivant généralement au frais de cet homme elles se voit offrir les opérations et les traitements. Ces échanges économico-affectifs ou sexuels marquent l'ordre social de la domination masculine. Les hommes ayant plus de capital économique que les trans, les échanges se produisant dans les interrelations homme/trans sont marqués par des rapports de forces inégaux. Les hommes sont, du fait de leur position, perçus comme des ressources économiques. Hani a un terme bien particulier pour parler des hommes avec qui elle sort, elle les appelle des sponsors. Le choix du terme n'est pas anodin et renforce l'idée d'une association économique dans les relations qu'elle entretient avec eux. Elle raconte comment dans ces pratiques elle arrive à échanger son affection contre des valeurs matérielles :

Après j'avoue, j'ai des petits plans-culs qui m'offrent des trucs mais je fais rien. Enfin j'ai des plan-cul avec qui je fais des choses mais ceux qui m'offrent des trucs je fais rien avec. C'est plutôt de l'escort, juste pour le plaisir d'être à côté. J'ai réussi à payer mes produits grâce à ça. Enfin, j'ai pas forcément demandé mais... Il y en a qui sont ébahis, stupéfiés par les trans mais le problème c'est qu'ils sont âgés. Alors du coup je les kiffe pas trop. Je ne veux rien faire avec. Ils sont tellement fous de moi, qu'ils sont prêts à m'offrir des cadeaux. Bon, moi j'accepte. Acceptons, hein ! Il faut vivre !

Cette circulation de l'argent fait partie des échanges liées aux interactions habituelles et souligne le fait que les personnes trans à Tahiti ont besoin de recourir à l'aide financière des hommes. Je complèterai cette description de la situation économique des trans à Tahiti à l'occasion du chapitre sur l'emploi. En attendant, il me semble intéressant de saisir comment, dans ce contexte particulier, sont vécues les interrelations avec les hommes au-delà de la question économique ?

Relations sentimentales

Avant de commencer une relation amoureuse, se pose pour certaines le problème de devoir annoncer leur transgenralité. En effet, si elles passent réellement sur la scène sociale pour des femmes, les hommes peuvent ne pas avoir conscience d'avoir à faire à une trans. Hani a été confronté à ce problème. Après avoir commencé un traitement hormonal, elle a remarqué un changement lors de ses interactions avec les hommes :

> *Mon visage est devenu plus féminin et on me draguait. Je sais pas comment je faisais. Un mec est venu et je me suis dit « ouais, un mec qui m'aime vraiment pour ce que je suis ». Après je lui ai parlé des trans et c'est là qu'il me sort « non, moi j'aime les vraies filles ». J'étais là : « oh non, comme si je n'ai pas assez de problème dans ma vie… ». Ça c'était le premier qui ne savait pas et c'était tout nouveau pour moi. Je m'étais attachée à lui, alors on est resté ensemble. Ce qui a fait qu'on s'est séparé c'est qu'une fille est partie lui dire. J'étais toute jeune. Je ne savais pas comment annoncer une vérité. Je ne pensais pas d'ailleurs qu'il fallait que j'annonce une vérité.*

Pour elle, son identité va de soi, elle est une femme et elle ne remet jamais en question cela par rapport à son sexe ou à son identité civile. Cependant, lorsqu'elle a une relation sentimentale avec un homme elle se retrouve confrontée à sa transgenralité et ne peut savoir si l'homme est au courant sans lui en parler.

> *Il y en a qui ont accepté. Il y en a qui l'ont vraiment mal pris, qui m'ont traité d'abomination et de je ne sais pas quoi. C'est peut-être ça qui est le plus dur dans toute ma vie, c'est que quand je suis en couple, j'ai du mal à savoir si les mecs savent. Franchement, pourquoi ils ne savent pas ? Après pour avouer ça, c'est pas évident.*

Dans sa vie quotidienne Hani passe pour une femme. Cependant, lorsqu'elle commence une relation de couple avec un homme un trouble se crée entre son identité de femme et son corps de trans. Elle préfère cacher sa situation ou en tout cas ne pas en parler car dire sa transgenralité revient non seulement à devoir nier son identité de femme mais aussi prendre le risque d'être perçue comme déviante (West & Zimmerman, 1987 ; Becker, 1985). Hani joue ainsi son statut de femme dans ses relations sentimentales. Si le partenaire accepte de continuer leur relation elle gagne en légitimité dans son rôle de femme hétérosexuelle. Si le partenaire met fin à leur relation, il casse la continuité du rôle qu'elle jouait lui faisant ainsi perdre la face[10]. Elle est ainsi assignée à son statut de trans et mise en marge de l'ordre normatif.

Lorsqu'une relation dure, le risque de perdre la face ne disparaît pas mais s'élargit à l'ensemble du couple. À son tour l'homme risque aussi son statut d'homme hétérosexuel si on découvre qu'il fréquente une personne trans. Dans ce cas, la stratégie la plus fréquemment utilisée est celle de l'évitement entre le couple et le reste de la scène publique :

> *Ils ne sont pas pr de s'afficher avec une trans parce que les hommes ils ont honte d'être avec des trans. Oui, parce qu'ils ont honte de ce qu'on va leur dire pour eux, la famille, les amis, leur réputation à eux aussi ça compte.* [Elsa]

Un autre exemple :

> *J'ai des copines raerae qui vivent avec des garçons mais elles vivent cachées. Elles pourront jamais se monter ensemble parce que le garçon ne veut pas. C'est le garçon qui ne veut pas. C'est le mec.* [Ami]

Il se peut aussi que ce soit les trans qui ne souhaitent pas se montrer en public :

> *Mes relations avec les hommes c'était plutôt discret, c'était pas dévoilé au grand jour, main dans la main dans la ville. Non, je ne suis pas ce genre de trans. J'aime pas trop me montrer. Peut-être si c'était un beau garçon, riche où il n'y a rien à dire, oui là je l'aurais peut-être accompagné dans la ville, me montrer. Mais comme c'est pas des tops modèles, non je préfère les laisser dans le noir.* [Elsa]

Joy cache aussi à sa belle-famille son passé de trans :

---

10 La face est selon Goffman « la valeur sociale positive qu'une personne revendique effectivement à travers une ligne d'action que les autres supposent qu'elle a adopté au cours d'un contact particulier » (1974 : 9). Lorsque l'on perd la face « il est impossible, quoi qu'on fasse, d'intégrer ce qu'on vient d'apprendre de sa valeur sociale dans la ligne d'action qui lui est réservée » (*ibid.*: 11).

> *Dans ma tête c'est clair que je suis une femme et donc je n'ai pas parlé du tout de cette transformation à mes beaux-parents et à ma belle-famille. Chose que peut-être un jour je ferai mais j'ai pas cette nécessité-là.* [Joy]

Les couples d'homme et de trans mettent en place des stratégies d'évitement afin de se préserver du *ha'amā*. Jouant leur rôle de femme et d'homme lors de chaque interaction sur la scène sociale, elles et ils préfèrent vivre leur relation cachée afin de défendre leur image choisie et de protéger celle de leur partenaire. Lorsque la relation est connue et affichée dans la sphère publique l'homme est alors perçu comme particulièrement courageux d'affirmer sa relation avec une trans :

> *Et par rapport à ceux qui savaient, ils le trouvaient courageux. Même moi je le trouvais plus courageux que moi. Parce que je lui disais « regarde tes amis qui savent, ils me regardent ». Il disait « non mais ne fait pas attention ». C'est lui qui dit ça alors que c'est moi qui devrais le dire.* [Hani]

Si un homme s'affichant avec une trans est défini de courageux c'est que les hommes ont beaucoup plus à perdre que les trans dans ce type de relation. Les trans étant déjà stigmatisées comme des personnages déviants elles sont déjà hors de la normalité. Or, les hommes peuvent perdre leur normalité en entretenant une relation avec une trans.

Fonder une famille ou l'idéal de la vie stable

Toujours dans cette volonté d'avoir une trajectoire de vie de femme hétérosexuelle, certaines trans m'ont parlé de leur vie idéale pour le futur :

> *Avoir une famille. Enfin fonder une famille et tout. Essayer d'avoir mon propre enfant. Ça veut dire avec la technologie l'avoir dans mon ventre et tout. Un mari qui me kiffe, qui n'est pas violent, qui m'accepte telle que je suis et qui n'est pas violent surtout. Et je vois ma vie comme ça. Stable, la stabilité.* [Hani]

La maternité est perçue ici comme le but de la vie d'une femme. Mais pour suivre la trajectoire voulu par le sens commun, pour avoir des enfants il faut une mère et un père. L'idée de stabilité est donc souvent assimilée à la vie de famille nucléaire comme me l'expliquait Ami :

> *Pour moi il est hors de question d'adopter un enfant et de lui donner une éducation en étant toute seule. Moi, il me faut la stabilité. Je veux avoir un*

papa et une maman. Même si je lui expliquerai les choses, que je ne suis pas une vraie maman, que je suis un garçon, un homme aussi mais que maman a décidé d'être une femme. Je veux lui donner cette stabilité d'avoir un père et une mère pour pouvoir grandir (...). Bon je sais très bien que je peux toute seule mais j'ai besoin personnellement d'avoir cette stabilité.

Les discours sur la famille nucléaire sont omniprésents dans les propos des personnes trans souhaitant changer ou ayant changé de sexe et d'état civil. Leurs trajectoires de vie tendent à entrer dans l'ordre et la norme hétérosexuelle afin de dissimuler leur vécu. A l'approche de ses 30 ans et voyant ses amies construire tour à tour une vie de famille, Ami est de plus en plus anxieuse :

Là je commence à avoir un mal être par rapport à ça. Ce n'est plus un mal être par rapport à mon identité mais un mal être par rapport à mon avenir.

Devant passer pour une femme, elle ne peut pas se permettre d'attendre de nombreuses années avant d'avoir des enfants. Elle court ainsi le risque dans le futur que l'on découvre sa transgenralité si l'on se questionne sur les raisons de sa maternité tardive. La vie de famille est perçue comme la stabilité car elle est le but, c'est-à-dire la légitimité ultime, à atteindre pour les trans souhaitant devenir des femmes. Avoir un mari et des enfants c'est jouer à la perfection l'hétéronormativité qui les a marginalisées en tant que trans. Je me souviens qu'au début de nos échanges, Joy avait tenu, à ce que j'assiste à son anniversaire avec ses ami·e·s proches, ses sœurs, frères, son mari et sa fille afin que je constate la normalité de sa vie. Sachant que j'étudiais la vie des trans à Tahiti, il lui semblait important de me montrer qu'outre la prostitution, une vie normale était possible pour elles. Le discours de Terupe illustre aussi cette quête de normalité :

Plus jeune tout ce que je cherchais c'était rester en couple. Il fallait que je m'installe. Pour moi c'était ça la vie. Et comme j'avais choisi un chemin de vie pas simple pour moi c'était l'objectif à atteindre. En fait tu sais que ta vie n'est pas dans la normalité mais tu fais tout pour rentrer dans cette normalité, ce qui au final te bousille ta vie. Ça sert à rien. Il vaut mieux être toi-même et faire avec ce qui vient et c'est ce que cet enfant m'a apporté. C'est comme ça que j'ai réussi à me stabiliser. J'ai structuré ma vie.

Il me paraît important de garder à l'esprit que l'ensemble des trans ne souhaite pas devenir femme, à l'instar de Terupe qui se définit comme *gay*. Pourtant les mêmes mécanismes sont présents afin de normaliser leur trajectoire de vie via la construction d'une famille. Pour les personnes souhaitant devenir une femme, le modèle de la famille nucléaire est récurrent dans les discours sur leur vie future. Cependant, ce n'est pas le modèle unique. L'adoption en Polynésie, le *fa'a'amu*, a des caractéristiques bien particulières. Les enfants peuvent être donné en adoption à des *fēti'i* si les parents biologiques ne peuvent subvenir à leur besoin. Ainsi des personnes trans peuvent se retrouver parents à la suite d'un placement d'enfant par les services sociaux ou à la suite d'un arrangement au sein de la famille comme le montre le cas d'Ivi :

> *À cette époque-là c'est ma sœur qui était au collège qui est tombée enceinte et moi je travaillais dans l'hôtellerie pour nourrir ce gosse-là. Elle ne pouvait pas, il n'y avait pas d'argent, il n'y avait rien. Elle m'a appelé moi, au lieu que sa fille sorte dehors, c'est resté dans la famille (...). C'est carrément passé au tribunal. Ah oui, je suis passé au tribunal pour accepter. Parce que j'étais tout seul et que normalement c'était interdit. Normalement il fallait un homme et une femme. Là comme j'étais efféminé on a fait les papiers et je suis en règle. Aujourd'hui, elle a 28 ans et l'autre 23 et un petit-fils. Elles sont contentes de mon état. Elles m'appellent pas papa, elles m'appellent mapa, c'est mon nom.*

Dans la pratique les structures familiales ne se limitent pas à la famille nucléaire pourtant omniprésente dans les discours. Même si la norme tend à créer ce type de familles, les trajectoires de vie innovent de nouveaux statuts familiaux en dehors de l'hétéronormativité.

Influence du partenaire

Durant l'analyse des diverses trajectoires de vie enregistrée lors des entretiens, j'ai noté que pour la plupart des personnes les hommes avec lesquels elles entretenaient des relations de couples étaient à l'origine de changements significatifs dans leur vie. Je vais donner ici quelques exemples afin de montrer l'influence que peut avoir le partenaire dans les trajectoires de vie.

Le premier exemple le plus visible est certainement celui de la mobilité géographique, que ce soit pour quitter l'île comme dans le cas de Joy :

> *Vers 18 ans je suis tombée amoureuse d'un garçon qui m'avait dit « écoute si tu veux, on vit ensemble en France », parce qu'il était militaire et donc il venait faire son armée. Il avait 19 ans et moi j'ai 18 ans et demi et du coup avec sa proposition je me suis dit pourquoi pas. Donc avant de partir, j'avais*

travaillé pendant 6 mois en tant que DJ dans une boîte de la place et comme j'ai eu économisé cet argent je suis partie en France et deux jours après il m'a rejoint.

ou réemménager à Tahiti comme dans le cas Elsa :

Je suis revenue c'était au temps de Noël. Je voulais profiter des fêtes de fin d'année pour être en famille et ensuite c'était prévu mon retour, que je rentre en Nouvelle-Calédonie. Je sais pas, quand je suis arrivée, en ce temps-là, j'ai rencontré un mec et je suis tombée amoureuse. Je suis restée 2 ans avec lui. Du coup voilà je suis plus retournée en Nouvelle-Calédonie je suis restée ici.

Même si ce n'est pas lors de relation de couple, les hommes sont souvent un motif pour quitter l'île. La France ou les Etats-Unis sont souvent l'objet de multiples fantasmes pour les trans. La vie y paraît plus facile du fait que personne ne les connaît et que les mentalités leur semblent plus ouvertes qu'à Tahiti. De nombreuses trans quittent ainsi la Polynésie tous les ans afin de trouver un homme en France où ailleurs qui les acceptera. Une fois cet homme trouvé ce dernier peut vouloir que sa partenaire change de carrière professionnelle. Joy est ainsi passée d'une carrière dans le monde de la nuit et des cabarets à celui du tourisme car les stripteases qu'elle faisait ne convenait plus à son conjoint. De la même manière, Hani a commencé ses études supérieures à la demande de son petit-ami de l'époque. Dans les entretiens enregistrés je n'ai jamais relevé de négociation ou de discussion avec le partenaire concernant ces choix. Pourtant il me semble qu'il s'agit de décisions qui ont un impact fort sur les trajectoires de vie. Le partenaire a ainsi une influence considérable. Cette situation, mise en lien avec le reste de l'analyse sur les interrelations entre trans et homme, met en lumière la hiérarchie des statuts avec au sommet celui des hommes et en dessous celui des trans. Cela ne veut pas dire pour autant que les trans n'ont aucune marge de manœuvre dans les relations qu'elles entretiennent avec les hommes. Quand elles décident de ne plus suivre les volontés de leur conjoint la relation prend généralement fin :

J'ai arrêté en seconde au lycée, c'est parce qu'en ce temps-là j'avais quitté les trans avec qui j'habitais. J'étais avec un homme et il voulait m'entretenir. Il voulait me pousser dans mes études mais il a pas réussi parce que, en fait, il m'a offert tellement plein de choses, par exemple un engin (scooter), chose qui ne fallait pas m'offrir parce que je sortais le soir et je ne revenais même pas. Du coup j'arrivais en retard au lycée et arrivée en cours je ne suivais pas.

Premier semestre, j'avais des mauvaises notes. Deuxième semestre, de très mauvaises notes. Du coup j'ai pas continué, le troisième semestre j'ai arrêté. (...) Il était colère, il m'a chassé. [Elsa]

Dans le cas d'Elsa c'est son partenaire qui a décidé de mettre fin à leur relation. Mais il se peut aussi que ce choix incombe au trans :

Je me suis séparée de lui parce qu'il était violent. C'était de la jalousie et tout ça. C'était la dernière année il était comme ça. Je sais pas, c'est peut-être les trois ans de couple qui font qu'il est devenu comme ça, j'avais pas envie de supporter ça et je suis partie. [Hani]

Avoir un conjoint n'est pas chose facile. Peu d'hommes souhaitent s'afficher avec des trans. Être avec un homme est pourtant souvent source de nouvelles dynamiques qui pourraient permettre de sortir de la marginalité. Ce contexte fait que généralement les personnes engagées dans une relation font tout pour la conserver quitte à changer de style de vie. La domination masculine souvent décrite dans les rapports femme/homme est tout aussi présente entre les hommes et les trans. Même si, dans cette vision hiérarchique de la société, leur position sociale est inférieure à celle des hommes il ne faut pas nier leur capacité d'action. De leur point de vue, il y a de nombreux enjeux dans les interrelations avec les hommes et de nombreuses stratégies sont mises en place pour légitimer leur statut, obtenir des ressources financières ou matérielles et normaliser leur trajectoire de vie.

Le réseau trans

Quand il a fallu définir l'ensemble social que compose les personnes trans à Tahiti, il a été difficile de trouver des lieux communs tant la diversité est importante. Il n'y a pas de milieu trans à proprement parler à Tahiti. Chacune a son propre contexte d'existence qui peut varier suivant les trajectoires de vie. Bien sûr, il y a des lieux trans à Papeete mais ce sont des lieux de prostitution ou des boîtes de nuit, qui ne reflètent qu'une partie des problématiques des trans sur l'île. Le seul moyen de prendre en compte de manière générale l'ensemble des personnes est de s'intéresser aux relations d'interconnaissance. Grâce à ces interrelations il est possible de saisir la quasi-totalité des personnes trans à Tahiti. L'ensemble de ces interconnaissances forme un réseau qui se déploie sur toute l'île et sur diverses autres îles de Polynésie. Dans ce travail je me suis limitée aux personnes trans composant ce réseau mais il est évident que des personnes cisgenres[11] y participent aussi.

Au sein de ce réseau, les relations peuvent aller du *tauturu*, de l'entraide, à la compétition comme l'évoque ce témoignage d'Ami :

> *Quand j'ai commencé à prendre des hormones la première fois c'est une copine raerae qui m'en avait parlé. Elle avait une ordonnance et du coup je suis allée chercher mes hormones les trois premiers mois avec elle. Mais comme je te disais dans le monde des raerae c'est très mesquin. C'est très compétition. Et quand il voyait que je commençais à devenir jolie, elle commençait à me trouver plein d'excuses : « Ah non j'ai pas le temps. Ah non je suis là-bas. ». J'avais compris qu'en m'hormonant, je devenais jolie et ça dans le monde des raerae c'était impensable.*

Suivant les contextes et la féminité des personnes les interrelations au sein du réseau semblent changer. L'entraide lors des transformations physiques est mise à l'écart lorsque la personne devient féminine. Comment ces dynamiques sont-elles mise en place ? Comment les personnes trans perçoivent-elles les autres trans et le réseau qui les lie ? Et dans quels contextes ce réseau prend-il place ?

Le réseau comme ressource en vue de la mobilité de genre

Les mobilités de genre commencent généralement par l'admiration des trans qui assument leur féminité dans l'espace public. Ces modèles montrent aux

11 Personne dont l'identité de genre correspond au sexe indiqué sur son état civil.

plus jeunes qu'il est possible d'être trans et d'affirmer leur féminité. Lorsqu'à l'adolescence, corps masculins et modèles féminins ne sont plus en adéquation, les jeunes trans prennent conseil auprès des plus âgées pour correspondre à leur modèle. Dans la mobilité de genre, le réseau trans est perçu comme une ressource. Il permet d'obtenir des conseils, des hormones ou encore un soutien affectif. Leur cadre familial et leur entourage cisgenre ne leur permettant pas d'obtenir des informations sur les conditions et les modalités d'une telle mobilité, elles se tournent alors vers d'autres trans afin d'obtenir ces informations. Une fois la transition commencée, se mettent en place des réseaux d'entraide et de partage, essentiels à la mobilité de genre à Tahiti.

Tauturu et réseau d'entraide

Le *tauturu* peut aller de simples conseils jusqu'à l'hébergement ou le partage des traitements hormonaux. Cette entraide est surtout visible au début de la prise d'hormones. Ne sachant pas comment avoir un corps féminin, les jeunes trans prennent connaissance des hormones grâce au réseau :

> *Je suis partie discuter avec des trans un peu plus âgées que moi, genre 25 ans, parce que je me demandais comment elles faisaient (à être féminines). Moi je commençais à ressembler à plus rien. Je commençais à être poilue et tous les trucs de mecs quoi. Je me suis dit mais c'est pas possible. Et c'est là qu'elles m'ont révélé l'existence des hormones.* [Hani]

Une fois l'existence des hormones connues, faut-il encore pouvoir se les procurer. La loi française demande un suivi psychologique de deux ans avant de pouvoir consulter un endocrinologue qui pourra alors prescrire des hormones. Devant l'obligation d'attendre et de payer les nombreux spécialistes qu'elles devront consulter, elles mettent en place diverses stratégies afin d'avoir des hormones le plus rapidement et le plus facilement possible. J'ai rencontré des personnes qui posaient un ultimatum aux psychologues : soit elles avaient leur autorisation pour consulter l'endocrinologue, soit elles mettaient fin à leurs jours. D'autres partageaient les hormones d'une de leur amie qui avait une ordonnance, ou encore allaient aux consultations à plusieurs afin d'avoir une ordonnance auprès d'un médecin peu regardant des lois. En plus des hormones, les jeunes trans sont initiées par les plus âgées aux manières de faire et d'être des trans. Cette initiation est particulièrement observable lorsque les plus jeunes habitent chez des trans plus âgées. Cette cohabitation arrive surtout après que les parents aient mis à la porte leur enfant. Elsa, après avoir été exclue du domicile familial s'est tournée vers des trans qu'elle a rencontrées :

Sur mon chemin j'avais rencontré une des travesties que je voyais sans les connaître sur la route. Du coup c'est vers elle que j'ai été demander si elle ne pouvait pas m'héberger parce j'avais que 15 ans. Je ne savais pas où aller. Du coup c'est elles qui m'ont prise avec elles. Jusqu'à mes 18 ans je suis restée avec elles. [Elsa]

N'ayant pas de ressources pour trouver un logement, Elsa demande alors aux personnes qui lui semblent proches de l'aider. Du fait de leur transgenralité commune Elsa s'attend à être aidée par ces personnes. Elle a le sentiment qu'une trajectoire de vie commune est partagée par l'ensemble des membres du réseau :

Moi ça va je me sentais dans mon élément, dans mon milieu. Quand je voyais d'autres raerae j'étais contente parce qu'on est pareil en fait pour moi. On n'est pas homme, ni femme, on est des trans. Des raerae voilà. Ici à Tahiti quand on se voit, on aime bien être ensemble. [Elsa]

C'est ce sentiment d'être semblables qui amène les trans à s'entraider. Connaissant toutes les difficultés liées à la transgenralité à Tahiti et les conséquences que cela implique, les trans plus âgées ou plus initiées aident les plus jeunes à se féminiser et à devenir belles.

Course à la beauté

Les problématiques liées à la féminisation du corps sont centrales dans les relations entretenues entre personnes trans. Une fois initiées aux pratiques féminines et aux hormones, apparait un nouveau type de relation : la compétition. L'entraide amicale, voire même familiale, laisse place à une course à la beauté. L'enjeu majeur étant de définir qui est la plus belle du réseau. Pour cela, sont mis en place tous les ans des concours de beauté qui sacrent les plus belles trans de l'île. Cette compétition dépasse largement les podiums et marque les habitudes routinières et les relations au sein du réseau. Il est particulièrement intéressant de décrire et de comprendre ce phénomène afin de saisir l'ensemble des dynamiques en présence.

Les élections

Cette compétition se manifeste formellement par diverses élections de beauté. En Polynésie, les concours de beauté sont des événements qui rassemblent beaucoup de monde. Souvent retransmis à la télévision, ils font l'objet de nombreuses discussions et débats avant, pendant et même après la

Miss

À l'image des concours de Miss ou de Mister, il existe de nombreux titres créés pour les personnes trans. Mais au contraire des élections de Miss et de Mister qui sont retransmises à la télévision et touchent un large public, les élections trans sont souvent organisées dans des boîtes de nuit et touchent uniquement un public d'habitué.e.s :

> *C'est différent des élections de Miss, parce que déjà ça se passe dans des boîtes de nuit ou dans des hôtels. Moi je pense que les élections de trans c'est plus un show. C'est pas comme Miss Tahiti, Miss France, Miss Univers. C'est pas médiatisé et même au bout de l'élection la gagnante elle gagne pas un ticket ou un métier. En fait, ça reste juste pour la boîte de nuit l'élection.* [Elsa]

Les moyens et les ambitions sont moindres dans les élections trans. Une fois titrées, les Miss trans ne peuvent donner suite à leur carrière car les élections internationales ont un coût trop élevé pour les participantes tahitiennes. Les trans élues se cantonnent donc à une notoriété locale qui se restreint souvent au réseau trans et aux initiés. Ces titres n'en sont pas pour autant dénués d'intérêts :

> *Ce qui est important pour nous les trans, c'est que comme ça tu sais où tu es. Par exemple, si c'est toi la Miss, ça veut dire que tu fais partie des plus belles trans de Tahiti* [Elsa].

Cette reconnaissance semble valoir beaucoup pour les personnes avec lesquelles j'ai travaillé car rien ne pouvait remettre en question le fait que celle qui avait le titre était la plus belle. Cette quête de la beauté est présente lors des élections mais aussi dans la vie quotidienne de chacune.

Être la plus belle

Le souci de soi et de son apparence est vécu comme une injonction. Si les trans veulent être féminines il faut qu'elles le soient totalement. Cette obligation peut aller jusqu'à se couper du monde social si la personne ne se sent pas à son avantage :

> *Moi je me sens bien que quand je suis bien apprêtée, quand il n'y a rien à dire. Quand il n'y a rien à dire, je me sens à l'aise. Les gens peuvent me regarder, m'admirer. Ils peuvent même m'insulter je suis à l'aise. Mais quand je ne me sens pas bien, je me renferme. Je reste chez moi. J'attends que les jours passent et que ça aille mieux. Et après je sors. Oui. C'est bizarre. J'arrive pas à t'expliquer vraiment comment je suis mais c'est bizarre. C'est à cause de mon état. Je sais que c'est à cause de ça.* [Elsa]

Le *ha'amā*, la honte du regard des autres, vis-à-vis du fait d'être ni femme, ni homme oblige les personnes trans à se présenter de la meilleure des manières. En tant que trans il n'y a pas d'entre-deux possible. Elles se doivent d'être totalement féminines. Ce sentiment d'obligation a fatigué Terupe qui, après quelques années durant lesquelles il se définissait comme trans, décide un jour de jouer un rôle d'homme :

> *En fille j'étais fiu. J'étais fiu de peigner mes cheveux (rire). Mais c'est ça en plus. J'étais arrivé à un stade... En plus quand tu es un garçon et que tu veux t'habiller en fille il faut être parfait. Rien ne doit dépasser, tout doit être nickel. Il y a que comme ça que ça passe. Parce que si tu ressembles à rien, que tu t'habilles en fille et que tu as une barbe, déjà c'est pas bon. Tu vois ? Parce qu'il y en a qui l'on fait et c'est pas beau (rire). Et dans ce type de vie-là, l'image est très importante. Ce que tu vas dégager aux yeux des gens est très important parce que tu es quelqu'un à l'intérieur que tu n'es pas à l'extérieur. Donc pour pouvoir montrer au monde et aux gens qui tu es réellement, c'est compliqué parce qu'on a une vision de nous qui veut être parfaite. Donc tu te dois de l'être.*

Afin d'être identifiées socialement comme des personnes féminines, les personnes trans ne doivent montrer physiquement aucun aspect masculin. Dans ce contexte, les critères esthétiques de la beauté trans correspondent à la disparition des caractéristiques physiques masculines.

La concurrence

Si chacune a pour but dans sa vie de tous les jours d'être la plus belle, cela a des répercussions sur les interrelations au sein du réseau. La jalousie est de mise. Avoir un corps féminin a un coût financier conséquent. Entre hormones de synthèse, chirurgies plastiques, vêtements, maquillage et produits de beauté peu de personnes peuvent se permettre d'avoir une apparence totalement féminine. Chacune se compare aux autres afin de se positionner sur une échelle de beauté et de féminité. Ami a perçu et vécu cette jalousie durant son adolescence quand elle souhaitait devenir une femme mais devait rester un garçon pour ses parents :

> *Je trouvais qu'entre raerae c'était un peu trop la concurrence. Mais comme elles étaient déjà un peu filles moi ça me gênait parce que je voulais être une fille. J'étais un peu jalouse parce que je me disais qu'elles arrivaient à être des filles alors que moi je n'y arrivais pas.*

Cette idée de concurrence est omniprésente dans les discours sur les trans. Chacun·e à Tahiti à une anecdote à raconter sur une dispute ou une bagarre entre trans au sujet d'un concours de beauté, d'un homme ou bien encore pour des histoires de vol. Cela peut entrainer des moqueries de la part d'autres membres de la population. Pour les personnes connaissant le contexte de vie des personnes trans les réactions sont plus indulgentes. Ivi, du fait de son âge, ne se sent plus concernée par cette concurrence et comprend la réalité des trans plus jeunes :

> *Quand je les vois je me mets à leur place. Je ne les engueule pas, je me dis que je viens de là. Quand je passe, je leur dis « Bon courage », « Courage ma sœur. Profite de la vie ». C'est comme ça que nous on voit les choses.*

Les interrelations entre trans varient suivant les catégories d'âge et l'affirmation de la féminité des personnes. Avec les personnes plus jeunes ou celles commençant leur transition, le réseau est une ressource dans lequel elles peuvent trouver des modèles, des informations et du soutien tant affectif que matériel. Une fois les personnes ayant entamé une transformation physique, les rapports deviennent plus conflictuels car chacune voit en ses semblables des concurrentes. Une fois sortie de cette course à la beauté, les anciennes trans ont un regard bienveillant sur le réseau, comprenant toutes les difficultés qu'il implique. Cette réalité conflictuelle du réseau trans est due en partie à la stigmatisation de la transgenralité au sein de la population tahitienne. L'image de la *raerae,* telle qu'elle est partagée au sein de la société tahitienne, est centrale dans la compréhension des trajectoires individuelles.

L'image négative des raerae

Les représentations collectives concernant les personnes trans les assimilent souvent à la déviance. Face à cette réalité j'ai remarqué durant les entretiens que les personnes trans partagent cette vision commune et stéréotypée des *raerae* :

> *Le comportement trans, en tout cas du point de vue tahitien, c'est un comportement très exagéré tu vois. Très exhibitionniste. Très extériorisé... Elles ont cette manie de bouger les doigts et bouger sans cesse et moi je vois un peu le comportement transgenre tahitien, très exagéré, très démonstratif. Alors que moi j'ai un petit côté, pas réservé, mais assez calme. Enfin je ne sais pas si tu en as vu dans la ville mais il y en a qui crient fort, qui se*

débanchent exagérément. Pour moi ça c'est le comportement transgenre. De manière très exagéré, très m'as-tu-vu. Alors que moi j'ai un côté beaucoup plus féminin, naturel. Moi je ne vais pas me mettre à me débancher comme si j'étais sur un podium. [Nina]

Même au sein de la population trans, qui revendique pourtant une certaine féminité, les comportements trans sont ainsi perçus comme étant distincts des comportements féminins. Cette situation a un impact sur les identifications des personnes trans et sur les relations qu'elles entretiennent avec les autres personnes du réseau.

Identification aux *raerae* comme seule alternative

L'identification à la catégorie *raerae* se fait selon la règle du « si-alors » (West & Zimmermann, 1987). Si une personne agit de manière féminine et a un pénis alors c'est une *raerae*. Cette identification relève plus de l'assignation sociale que d'un choix personnel comme l'explique Ami :

> *C'est là vraiment que j'ai compris ce que j'étais. J'étais une* raerae, *comme on disait chez nous. J'étais pas une fille, parce que quand j'écarte les jambes je vois bien que j'ai un pénis. Mais je m'identifiais à ce qu'on appelle le* raerae *parce que j'en avais dans mon entourage (...). Je me suis dit « je ne peux pas y échapper, c'est ce que je suis de toute façon et c'est comme ça que je vais devoir voir les choses ». Il ne fallait pas que je me voile la face.*

Une fois l'identité assignée, cette dernière a des répercussions sur l'ensemble de la vie des personnes trans, limitant ainsi leurs chances et leurs opportunités du fait des stéréotypes qui y sont liés. Un autre cas intéressant à analyser pour mettre en avant ce processus est celui de Terupe. Ayant eu un comportement féminin durant son enfance et son adolescence, son entourage en a déduit qu'il était une *raerae*. Il s'est lui-même identifié à ce personnage pensant que c'était sa seule alternative pour séduire des hommes. Cependant, il ne souhaite en rien changer de sexe et devenir une femme. Vers ses 20 ans, fatigué d'endosser un rôle féminin il décide de faire l'expérience de séduire des hommes en tant qu'homme. Cette expérience réussie, il décide dès lors de se présenter en tant qu'homme et non en tant que *raerae*. Les personnes trans sont identifiées aux *raerae* car c'est la seule catégorie sociale qui prend en compte en même temps leurs comportements féminins et leur anatomie masculine. Certaines innovent en employant de nouveaux termes tel que trans, transsexuelle ou transgenre afin d'éviter d'être assimiler au *raerae*. Hani, par exemple, n'a jamais employé le mot *raerae* lors de nos entretiens, mettant ainsi à distance tout l'imaginaire péjoratif qui lui est lié. Les termes utilisés et les trajectoires de vie mettent en avant le dynamisme des catégories de genre.

Les autres trans

Les discours et propos des personnes trans font tous référence à un ensemble de personnes généralement appelé *les autres trans* ou les *raerae*. Ce groupe ne semble exister que dans l'imaginaire collectif. Pourtant, toutes font référence à ces *raerae* qui nuisent à la normalisation des trans sur l'île, comme l'explique Nina :

> *J'en connais, elles vont s'assoir là, elles vont parler fort ou faire des grands gestes sans faire attention. Déjà qu'on attire l'attention alors si tu attires encore plus l'attention comme ça je trouve que ça donne une mauvaise image et que ça va dans le sens des clichés. Ce cliché qui dit que les transgenres c'est les étoiles et les paillettes. J'aime pas ce côté un peu blingbling. En soirée je suis d'accord mais après...*

Ces autres trans, correspondant au stéréotype de la *raerae,* réactiveraient l'imaginaire collectif au sujet des trans et de leur penchant pour la prostitution :

> *Il y en a qui se prostituent à fond. Mais vraiment à fond et ça donne une mauvaise image de la transsexuelle. Et je ne peux pas changer la vision que beaucoup de trans ont donnée. Après ça marque et les gens pensent que l'on est faite que pour ça.* [Hani]

Cette différenciation entre elles et les *raerae* va jusque dans les pratiques sexuelles, marquant ainsi une différence entre actives et passives :

> *Non, quand ils (les hommes) me sucent moi je veux pas. Ça me gêne. Alors qu'il y a d'autres raerae qui eux, elles adorent. Elles adorent qu'on les suce, elles adorent. Elles adorent pénétrer, moi je déteste.* [Ami]

Il est intéressant de noter qu'Ami a utilisé inconsciemment, comme beaucoup d'autres trans, le masculin pour parler des *raerae*, alors qu'elle emploie le féminin lorsqu'elle parle d'elle. Elle relègue ainsi les *raerae* à une sphère masculine, se démarquant ainsi d'« eux » pour mettre en avant de manière personnelle la normalité de leur identité.

Eloignement du réseaux trans

Cette mise à distance des autres trans se retrouve aussi dans les récits de vie. Les personnes avec lesquelles j'ai échangé ont tenu à marquer une différence entre elle et les autres trans par rapport à leur vécu. Ami se sent éloignée du réseau trans car elle a grandi uniquement avec des filles :

> *J'ai pas grandi avec des raerae. J'ai plutôt grandi avec des filles. J'ai toujours grandi avec des filles, de ma tendre enfance jusqu'au collège. J'ai trainé qu'avec des filles donc moi du coup je suis à part. Je traine pas vraiment avec des raerae.*

Le fait d'avoir vécu dans un milieu féminin légitimise pour elle son appartenance à la catégorie femme plutôt qu'à la catégorie trans. Le fait de n'avoir pas connu la même carrière (Becker, 1985) que les autres trans, justifient pour elle son éloignement du réseau. Les personnes ayant connu cette carrière dite commune, c'est-à-dire se retrouvant à la rue et se prostituant après avoir affirmé leur féminité auprès de leurs parents, tendent aussi à s'éloigner dans leur récit de vie du réseau trans. Pour Elsa cet éloignement se justifie par le comportement des autres trans :

> *J'ai des copines de mon âge mais je ne traine pas avec eux. On se voit en boîte de nuit mais j'ai pas d'affinité. C'est-à-dire on traine pas ensemble. Je sais pas, c'est peut être moi, c'est peut-être eux. Parce que j'ai étudié chacune et aucune ne me convient en tant que copine. Elles sont tellement menteuses, elles ont plein de défaut aussi les trans.*

Il n'existe pas de groupes de trans qui présentent tous les caractères qu'on attribue à la catégorie *raerae*. Les caractères choisis pour définir ce qu'est une *raerae* varient suivant les discours et les positionnements de chacune, le but étant de s'en distancier au maximum. J'ai relevé dans les entretiens que certaines personnes ne se préoccupent pas de se distancer des autres trans et assument les relations qu'elles entretiennent avec elles. C'est le cas de Joy, Terupe ou Ivi qui durant les entretiens me parlaient des liens qu'elles et il entretenaient avec le réseau trans. Ces trois personnes ont la particularité de ne plus correspondre au stéréotype de la *raerae* tel que le conçoit le sens commun. Joy est une femme, Terupe un homme et Ivi une trans d'une cinquantaine d'années qui ne correspond donc plus au stéréotype stigmatisé. La *raerae* représente une catégorie sociale bien particulière. Les personnes ciblées par cette catégorie ont intérêt à mettre en place des stratégies afin de s'en distancer. Les personnes qui par leur genre ou leur âge s'éloignent de l'idéal-type de la *raerae* n'ont pas besoin de mettre en place de telles stratégies. Elles se trouvent, de fait, éloignées des risques de stigmatisation qu'entrainent l'identification aux *raerae*.

Aider les raerae

Il serait inexact de résumer les stratégies individuelles uniquement à l'éloignement des autres trans. Certaines personnes rencontrées avaient à cœur d'aider les trans à sortir de leur marginalisation et de changer les perceptions collectives sur les trans. Les principaux discours que j'ai relevés à ce sujet s'attachaient surtout aux problématiques de la prostitution. Des personnes ayant connu la prostitution m'ont raconté leur vécu à ce sujet :

> *Avant je trainais, j'étais rien. Je faisais le tapin... C'était mal vu aussi par les gens, parce qu'avant les gens dès qu'ils voyaient une travestie dans la rue ils l'insultaient.* [Elsa]

Ou encore :

> *La prostitution pour moi c'est quelque chose de très mesquin. Parce que je l'ai connue, j'ai vu ce que c'est. C'est horrible. C'est horrible, parce qu'en fait tu es considérée comme un objet sexuel.* [Ami]

La prostitution, dans ce contexte, qu'elle soit choisie ou non, déshumanise les personnes. Dans les deux témoignages précédant les mots sont forts et traduisent un sentiment de mal-être dans cette pratique. C'est pourquoi certaines souhaitent agir afin d'éviter que des trans en viennent à se prostituer faute de moyens et de permettre aux autres de sortir de ce vécu.

La difficulté d'aider les trans à avoir une vie normale

Si beaucoup ont envie de voir un changement sociétal vis-à-vis des trans, peu d'actions sont menées dans ce sens. De nouveau le *ha'amā* s'empare des actrices qui préfèrent remettre leur projet militant à plus tard :

> *C'est quelque chose que je voudrais faire plus tard. Monter une association pour l'égalité de nos droits, pour avoir une vie sociale normale. Mais je sais que c'est quelque chose de très difficile. Et moi-même j'ai peur de me confronter justement à cette vie sociale qui va faire que je vais devoir tout le temps me battre. Alors que moi je veux une vie normale. Donc du coup j'hésite.*

J'hésite à monter une association. Ça va m'apporter plus de problèmes que de solutions. Au lieu de vivre une vie normale je vais tout le temps devoir me battre. Je pense que c'est pour ça que les autres aussi ne veulent pas. On a peur, en fait. On a peur de cette pression sociale. [Ami]

La peur d'être assimilée au réseau trans et qui plus est d'être à la tête d'un mouvement de revendication de droits amène les trans à adopter une stratégie d'évitement. Les démarches associatives obligent à prendre position sur la scène publique et politique, leur faisant ainsi courir le risque d'être discréditées à la vue de toutes et tous. Les trans voulant se mobiliser remettent donc leurs actions à plus tard, quand leur mobilité de genre sera achevée et qu'elles seront légalement des femmes. Il leur semble impossible de pouvoir aider les autres tant qu'elles ne sont pas devenues femmes elles-mêmes.

Quand je serai vraiment devenue une femme, là vraiment je pense que je pourrai me battre pour leur cause car on ne pourra plus rien oser me dire. Je serai devenue une femme. Je pense de toute façon avant de pouvoir travailler pour les autres, de défendre leur cause, il faut déjà que je défende la mienne. Faut que je sois bien dans ma peau comme dans ma tête et dans ma vie pour pouvoir aller défendre les causes des autres. Parce que si moi dans ma vie je vais pas bien, je vais défendre la cause des autres, je ne vois pas l'intérêt pour moi. L'intérêt pour elles oui, parce que je les aide. Mais moi ? Je ne serai toujours pas bien. [Ami]

Joy a suivi ce type de trajectoires. Devenue femme lors de son séjour en Europe, elle retourne par la suite vivre à Tahiti. Cependant, une fois installée, elle ne souhaite plus entretenir aucun contact avec des trans. Sa transgenralité faisant partie du passé, elle évite complètement le réseau jusqu'au jour où elle réalise qu'en agissant de la sorte elle se comporte toujours comme une trans. Une femme n'aurait en effet pas peur de compter dans ses relations des personnes trans et de vouloir les aider. Elle décide alors de monter une association dans le but de « créer plus de tolérance envers la différence tant au niveau familial, social que professionnel » (slogan de l'association) :

Mon intention aujourd'hui c'est, à partir de mon parcours, de pouvoir aider les jeunes qui sont dans cette démarche. J'ai monté une association, justement pour aider cette communauté que ce soit des travestis, des transgenres ou des homosexuels dans le sens où ils peuvent avoir une insertion digne dans la société. C'est pas quelque chose de facile et ça prend forme petite à petit.

À partir de ses expériences personnelles dans le monde du spectacle, Joy crée et met en scènes des concours de beauté et des représentations uniquement réservés aux personnes trans afin d'ancrer positivement les trans dans l'espace publique. Dans toutes les démarches ayant pour but d'aider les trans à avoir une vie normale, j'ai noté qu'il n'y avait pas ou peu d'esprit de groupe. À chaque fois, une personne, et une seule, veut aider les autres sans qu'il y ait l'idée d'une collaboration. Cette situation impacte la pérennité des mouvements associatifs naissants car peu de personnes souhaitent se mobiliser sur la scène publique et le peu qui le souhaite ne crée pas de dynamiques communes.

Changer les perceptions collectives

Que ce soit au niveau de l'association ou individuellement chacune connaît l'impact qu'a l'image des trans sur sa trajectoire de vie. Pour toutes celles souhaitant un futur plus tolérant, les premières choses à changer à l'échelle sociale sont les perceptions collectives des personnes trans. Pour cela certaines ont mis en place diverses stratégies dans le but de changer le regard des personnes qu'elles rencontrent. Nina, par exemple, en soirée laisse croire qu'elle correspond au stéréotype de la *raerae* pour que les hommes viennent l'aborder. Une fois la conversation engagée elle leur dévoile qu'elle travaille dans un hôpital de l'île et qu'elle est fiancée, remettant ainsi en question les préjugés qu'avaient les hommes quand ils sont venus l'aborder. Si la conversation continue elle tente alors de raconter ce que c'est que d'être trans à Tahiti et des difficultés que cela implique au quotidien. De cette manière Nina montre la diversité des réalités des trans sur l'île et pense faire naître un changement d'opinion chez les hommes qu'elle rencontre. Une autre méthode de changement est celle d'Heva. En publiant sur les réseaux sociaux les diverses difficultés qu'elle rencontre dans sa vie de tous les jours, elle tente de capter l'attention du plus grand nombre. Les réactions des internautes, suscitées par ses publications, montrent que les problématiques trans intéressent l'ensemble de la population.

Durant ma recherche, je pense avoir fait partie de ces actrices qui souhaitent changer la perception des trans à Tahiti. Sur place, j'ai collaboré de nombreuses fois avec l'association de Joy. À partir de mes premières analyses je lui ai proposé différentes pistes afin de construire un plan d'actions concret pour l'association. L'objectif était de mettre en place des moyens et des stratégies de communications afin de diffuser des informations relatives aux trans non seulement au sein du réseau mais aussi à l'ensemble de la population tahitienne. Même si cela s'est fait de manière informelle je me suis engagée au cours de cette recherche. Pour moi, il s'agissait d'un juste retour des choses. Il me semblait juste de donner de mon temps pour aider les personnes avec lesquelles j'ai pu collaborer. A certains moments, j'ai pu leur servir de faire-valoir lors de réunion avec des personnalités politiques ou lors de rencontres fortuites dans l'espace public. Le fait qu'une européenne vienne à Tahiti spécialement pour comprendre leurs trajectoires de vie donnait de la légitimité à leur propos et à leur existence. Pour ma part, j'ai volontairement construit cette recherche autour de la diversité des trajectoires de vie afin de dépasser les stéréotypes et les préjugés ordinaires sur les trans. J'espère ainsi que cette recherche aura un écho en Polynésie et qu'elle permettra un regard réflexif sur les personnes trans comme sur l'ensemble de la société tahitienne. Les discours sur la nécessité d'un changement sociétal étaient omniprésents dans chacun des entretiens que j'ai menés. Cela souligne les dynamiques et la remise en question des rapports de forces entre personnes trans et normes sociales. Une des thématiques qui était récurrentes au sujet de ces inégalités concernait le monde du travail. En effet, les trans semblent avoir peu de chance sur le marché du travail et une fois employées il semble difficile pour elles d'afficher leur féminité. Au vu du nombre de témoignages à ce propos, j'ai choisi de consacrer le prochain chapitre à cette thématique.

Activité professionnelle : entre émancipation et barrière de genre

Mon travail c'est mon mari. Cette phrase d'Ami m'a marquée durant l'un de nos entretiens. La force symbolique de ses mots, m'a rendu attentive aux discours portés à l'égard du monde du travail. Hors de la sphère intime du cadre familial et des interrelations avec les hommes, l'analyse des rapports au travail donne à voir un nouveau type d'interactions entre les personnes trans et le reste de la collectivité. Avoir un travail permet d'acquérir une certaine indépendance financière vis-à-vis de ses proches. De plus, des revenus financiers sont nécessaires aux transformations physiques qui féminisent les corps. Les hormones et les opérations chirurgicales ont un coût élevé et certaines opérations, comme la vaginoplastie, ne peuvent être faites sur l'île. S'ajoutent donc aux frais médicaux des frais de mobilité. Il est donc nécessaire d'avoir des revenus et donc un emploi[12].

Le marché de l'emploi

Quand je me suis entretenue avec des trans au sujet de leur accès à l'emploi, toutes sont revenues sur les représentations collectives des *raerae*, comme m'en a fait part Heva :

> *Je n'arrivais pas à trouver de travail parce que dans la vie sociale les raerae n'étaient pas acceptées.*

Le discrédit porté aux personnes trans est aussi présent dans le monde de l'emploi et il est particulièrement ressenti lors de la recherche d'emploi. Entre soucis administratifs et stéréotypes sur les carrières professionnelles trans, je souhaite saisir dans cette partie comment les personnes trans vivent leurs expériences du marché de l'emploi et comment ces expériences impactent leur trajectoire de vie.

Soucis administratifs

Le premier obstacle que rencontrent les personnes trans souhaitant entrer dans le monde du travail est dû à leur identité administrative. Ayant un état civil qui les définit comme homme, les institutions gérant les offres et demandes

12 Dans cette partie je ne prends pas en compte la prostitution, qui est certes un moyen d'avoir des revenus mais qui n'a jamais été considérée comme un emploi par les personnes avec lesquelles j'ai échangé.

d'emploi, leur créent automatiquement un dossier répondant à des critères masculins. Le SEFI, le Service de l'Emploi, de la Formation et de l'Insertion professionnelles, crée des dossiers de demandeur d'emploi avant de rencontrer les personnes en entretiens. Elles se trouvent donc directement conduites vers des emplois que le sens commun pourrait qualifier de masculin. Hani a connu cette situation particulière :

> *J'ai plus de problèmes avec eux qu'avec les travailleurs, parce qu'eux ils ne savent pas trop où me placer, alors à la fin ils me mettent dans les trucs de menuiserie (rire) parce qu'ils ont pas vu la personne.*

D'un point de vue administratif, les trans sont confrontées à une réalité qui ne prend pas en compte la spécificité de leur indentification de genre. Les postulations sont de ce fait compliquées car sur le papier elles sont identifiées comme des hommes. Les métiers qu'on leur propose ne correspondent pas à leurs aspirations professionnelles et elles ne correspondent pas sur le papier aux attentes de certain.e.s employeur.e.s. Cette réalité marque la division genrée des mondes professionnels à Tahiti. Les métiers sont classés suivant leur connotation masculine, féminine ou trans et participent ainsi à la construction genrée des individus.

Les carrières professionnelles trans

Le second frein à l'embauche des trans peut se résumer à l'image de la *raerae* répandue au sein de la population. Pour les employeur.e.s, embaucher une personne trans peut représenter un risque de *ha'amā*. Les préjugés et les stéréotypes concernant l'exubérance des trans portent préjudice à leur crédibilité sur le marché de l'emploi. Les trans se tournent alors vers les milieux qui les engagent sans faire cas de leur réputation comme l'explique Ami :

> *On essaie de trouver des choses qui vont nous faire accepter dans la société. Et nous on fait tout pour se faire accepter. On est plutôt attirée par le milieu artistique. On nous utilise beaucoup pour aider à faire de la décoration, à donner des conseils beauté, à savoir comment se comporter parce que des fois on est plus femme qu'une vraie femme. Donc du coup on se fait beaucoup solliciter.*

Avoir un emploi permet d'être mieux acceptée au sein de la population. En étant actives les personnes trans cassent la vision commune des trans déviantes vivant dans l'oisiveté, le vol et la prostitution. Les milieux professionnels tels que l'hôtellerie, l'événementiel et l'esthétique sont, selon le discours commun, les premiers à embaucher des personnes trans. Ami explique cette réalité par l'identité même des trans :

> *Je pense que toutes les raerae sont faites pour travailler dans l'événementiel parce que nous on aime le monde du spectacle, les paillettes et tout.*

Lorsqu'elles ont accès au monde de l'emploi, les offres qu'on leur propose sont limitées suivant les préjugés liés à leur genre et à leur identité. Se revendiquant féminines elles n'ont alors accès qu'à des carrières professionnelles correspondant à leur indentification. Hani souhaite avoir une carrière professionnelle dans le monde de la finance et dénonce cette situation :

> *Ils mettent les trans dans certains métiers. Pour eux les transsexuelles sont faites pour être dans l'hôtellerie, dans les trucs esthétiques et tout. Alors que nous on peut travailler dans d'autres choses, dans les trucs administratifs, dans le marketing... Eux ils croient qu'on est des idiotes sans cervelle alors que non (...). On se débrouille dans notre vie pour avoir ce qu'on veut, c'est pas facile mais c'est pas pour autant qu'on sait pas faire certains métiers.*

Les représentations collectives des trans permettent à certaines de trouver facilement un emploi en justifiant des qualifications professionnelles uniquement par leur personnalité. Si cette possibilité semble, dans un premier temps, avantageuse pour l'employabilité des personnes trans, elle peut aussi en être une barrière pour certaines carrières professionnelles. En voulant construire une carrière hors des domaines traditionnellement attribués aux trans, elles se retrouvent ramenées à leur marginalité. C'est pour cela que j'ai choisi de parler de discrimination envers les trans sur le marché du travail.

Discriminations sur le marché du travail

Les discriminations ne se font pas uniquement dans l'attribution des filières professionnelles. Certaines ont vécu lors d'entretiens d'embauche des expériences malheureuses. C'est le cas d'Heva qui raconte :

> *Dans mes deux premiers emplois il y avait pas du tout de pression mais suite à la fermeture de la boutique j'ai essayé de rechercher du travail et c'est vrai que quand tu te pointes en fille et que sur ton cv c'est marqué masculin les gens te regardent de haut en bas et ça c'est pas évident. J'allais jusqu'aux entretiens oraux et après je ne passais jamais à cause de mon habit. La*

façon dont ils te regardent, avec quelques signes de... Je dirai que ce sont ces signes-là qui te prouvent que t'es venue pour rien. On ne te laisse même pas ta chance pour faire tes preuves. Les gens préfèrent juger sur ton apparence plutôt que sur le contenu.

Le décalage entre CV masculin et apparence féminine ne peut être perçu que lors des entretiens d'embauche. À la suite de la découverte de la transgenralité de la candidate les préjugés sociaux liés à la transgenralité sont réactivés. Les réactions des employeur.e.s montrent alors le discrédit porté sur les personnes trans. En ayant connu de telles expériences lors d'entretiens d'embauches certaines ne souhaitent plus postuler :

J'ai postulé 2-3 fois et après je me suis dit que je vais laisser tomber pour quelques temps. Après je verrai ce qui se passe. Là je laisse tomber. J'ai plus envie de retourner. Enfin pas pour le moment. [Heva]

D'autres mettent en place des stratégies afin de trouver un emploi sans risquer le discrédit. Par exemple, Elsa a trouvé son poste actuel en passant par son réseau d'interconnaissances. Ainsi, le jour de l'entretien ses futur.e.s employeur.e.s connaissaient déjà sa transgenralité. Cette vision du marché du travail basé sur la discrimination des personnes trans n'est pas partagée par l'ensemble des personnes que j'ai rencontrées. Joy a connu le marché du travail en tant que trans dans sa jeunesse et maintenant, en tant que femme, elle travaille avec des personnes trans. Pour elle :

Au niveau professionnel le regard en Polynésie dépend de l'attitude de la personne. Si la personne a des compétences, qu'elle n'est pas extravagante, qu'elle présente bien, qu'elle connaît ses aptitudes à contribuer à la société tout va bien. C'est comme pour n'importe quelle personne.

Dans nos discussions elle me racontait la difficulté qu'elle avait à travailler avec certaines trans du fait de leur comportement. Les perceptions et les réalités du marché de l'emploi sont donc différentes suivant le point de vue d'où on les aborde. Mon but n'est pas ici de savoir qui a tort ou qui a raison mais de décrire et de retranscrire le vécu des personnes trans vis-à-vis du marché du travail. Une chose semble sûre : une fois parvenu à obtenir un emploi, ce dernier se révèle être émancipateur.

L'emploi libérateur

L'emploi, garant d'une rémunération financière mensuelle, permet d'accéder à une certaine indépendance. Plus besoin de se soumettre aux normes familiales afin d'avoir un toit et plus besoin de partager les frais hormonaux avec d'autres. Une fois salariée, les personnes trans peuvent se construire suivant leurs propres désirs sans avoir à négocier avec des tierces personnes, comme le dit Ami :

> *C'est là où j'ai vécu vraiment ma vie de femme.*

Grâce à son premier emploi et premier salaire, Ami a pu déménager de chez ses parents et emménager seule dans un appartement. C'est alors qu'elle a commencé à prendre des hormones féminines, à changer sa garde-robe androgyne pour des vêtements féminins et à faire une opération de chirurgie esthétique. L'emploi d'Ami lui a permis de se libérer des normes familiales et d'affirmer sa féminité :

> *Quand j'ai commencé à avoir mon travail c'est là que vraiment je me suis libérée, que je me suis dit qu'aujourd'hui je n'ai plus besoin de rester dans cette sphère familiale. Aujourd'hui, je me paye moi-même à manger, je me paye ma maison. Voilà je fais ma vie aujourd'hui.*

L'indépendance due à sa situation financière lui a permis de changer de vie :

> *Dans ma tête j'ai pris la décision de devenir une femme et comme j'étais devenue indépendante, plus rien ne pouvait m'arrêter.*

Cette idée de changement de vie, grâce au travail salarial, est souvent présente dans les discours. Il ne s'agit pas nécessairement de changement vers la féminité. Joy par exemple, a pu partir vivre en France grâce aux économies qu'elle a fait durant son premier emploi dans un boîte de nuit de Papeete. Partir en France signifie alors s'éloigner du contexte tahitien où les réseaux d'interconnaissances figent les trans dans le personnage de *raerae*. La France représente la liberté d'être qui l'on souhaite tout en restant inconnue au milieu de la foule. L'emploi peut donc libérer des pressions familiales et des pressions sociales exercées envers les trans sur l'île. Il peut aussi être libérateur au sens où il permet de changer la vision que les personnes trans ont d'elles-mêmes, se libérer de l'image communément attachée aux trans et/ou se libérer de son passé comme ce fut le cas pour Elsa :

Quand j'ai pris mon travail j'ai fait la connaissance de beaucoup de personnes. Par exemple, les amis de mes patrons. C'est que des gens bien placés, enfin des gens aisés. Du coup ça te fait connaître d'une autre façon. C'est plus la Elsa qui traine, c'est Elsa l'employée de maison de Monsieur Khan. Ça te fait un peu une dignité. T'es propre et ça te fait une belle réputation.

Le travail a permis à Elsa de se libérer de son passé lié à la rue. Dès lors elle se construit en s'identifiant à son emploi afin de rompre avec l'image honteuse qu'elle avait d'elle-même. Une fois entrée dans la vie active et se sentant libérées des pressions qui les contraignaient, les personnes trans n'ont pourtant pas fini de devoir légitimer leur féminité et leur identification à des rôles féminins. Une nouvelle forme de pressions et de normes vient s'ajouter par les rapports professionnels qu'elles entretiennent sur leur lieu de travail.

Rapports professionnels

Si les personnes trans se libèrent de certaines pressions grâce à leur emploi, il n'est pas rare que leur féminité soit remise en cause sur leur lieu de travail et soit l'objet de nouvelles pressions. Les normes genrées, aussi présentes dans les sphères professionnelles, peuvent être parfois antinomiques à l'épanouissement et l'indépendance liées à l'emploi. Ami a vite compris ce contexte particulier :

En commençant mon travail où j'ai justement commencé à m'épanouir dans ma vie de femme, où dans ma vie familiale c'était un épanouissement total. C'est au niveau de mon travail que ça a commencé à faire des barrières. Ma hiérarchie a commencé à me mettre des bâtons dans les roues.

Entre affirmation de la féminité et nécessité de conserver son emploi, les stratégies et les négociations sont de mises spécialement avec les employeur.e.s et les supérieur.e.s hiérarchiques. Dans le monde professionnel, les cadres, les rôles et les statuts sont prédéfinis par les entreprises laissant moins de place à l'innovation comme cela peut être le cas dans les rapports familiaux ou dans les interrelations avec les hommes. Dès lors, il est intéressant de questionner quelles sont les marges d'action des personnes trans dans leurs rapports professionnels et comment elles perçoivent ces situations.

Féminité sur le lieu de travail

Emancipées des normes familiales, les personnes trans affirment leur comportement féminin. Cela suppose l'adoption d'attitudes et de vêtements féminins dans la vie de tous les jours au travail comme dans la vie privée. Or, être féminine sur son lieu de travail peut devenir un inconvénient car cela renvoie directement à l'image de la *raerae* marginale et discrédite les personnes trans sans tenir compte de leurs compétences professionnelles. Il faut ainsi atténuer la féminité comme l'a fait Heva lorsqu'elle était professeure des écoles :

> *Je m'habillais en garçon mais je ne m'habillais pas trop, je faisais quelques touches féminines : des pantalons jean bas avec des hauts cintrés, sans pour autant porter de soutien-gorge et sans me maquiller mais avec les cheveux longs. C'est vrai que moi j'ai eu de la chance d'avoir une bonne directrice et des bons parents d'élèves qui ne m'ont pas jugée.*

Cette apparence masculine avec quelques marques de féminité fait référence aux personnages historiques de *māhū*, d'homme efféminés. Comme expliqué au début du livre, lié à l'idée de tradition polynésienne, le *māhū* n'est pas discrédité par le regard des autres, contrairement aux *raerae*. Pour être acceptées sur le lieu de travail mieux vaut cacher ou maquiller les caractères qui marquent la transgenralité et adopter les traits d'un homme efféminé. Après avoir appris à être féminines dans leur vie quotidienne, elles doivent apprendre à être efféminées dans leur travail. Pour Terupe cela implique de dissocier vie privée et vie professionnelle :

> *Il faut apprendre à se remettre en question à redescendre un peu de son piédestal (...). Tu ne peux pas mixer tes envies personnelles à ta vie professionnelle. C'est pas possible. Et c'est ce que j'ai fait parce que je l'ai vite compris. Ce que je fais chez moi reste chez moi et ne regarde personne. Aujourd'hui on m'appelle « la grande régente » au boulot. Oui, parce qu'une fois que ça se passe bien, les gens en jouent et ça passe mieux.*

La féminité peut être acceptée après un certain temps et rentre dans les habitudes routinières du travail. Il est intéressant de noter que ce contexte, où les personnes efféminées sont mieux acceptées que les trans, n'a pas toujours existé. Ivi m'a raconté que dans sa jeunesse, les efféminés n'étaient pas acceptés non plus dans le monde du travail. Ayant travaillé durant plusieurs décennies dans l'hôtellerie elle a dû au début de sa carrière couper ses cheveux, symbole de féminité, et adopter un rôle d'homme. La féminité sur le lieu de travail est contextuelle. Il y a 30 ans, les efféminés n'étaient pas acceptés alors que maintenant on demande au trans de ressembler aux hommes efféminés afin d'être intégrées.

Dans certaines situations où la transgenralité ne se voit pas et, n'est connue qu'après l'embauche on remarque un changement de perception entre féminité de femme et féminité trans. Hani a été embauchée dans une boutique de Papeete, à la fin de son premier mois elle ne reçoit pas de paye. Idem le second mois. Elle décide alors d'aller en parler à son patron. Ce dernier ne comprend pas, il a pourtant effectué les virements et lui montre les fiches de paiement. Hani voit alors que le nom inscrit sur la fiche est son nom féminin, or sur ces papiers d'identité elle est un homme et porte un autre nom. Elle comprend que personne ne sait qu'elle est trans au sein de la boutique. Elle explique alors sa transgenralité et note directement un changement d'attitude à son égard et son contrat d'essai ne sera pas reconduit. Les expériences sur le monde du travail diffèrent suivant les personnes et leur emploi. La féminité des personnes trans est en effet plus ou moins acceptée suivant les milieux professionnels, comme l'explique Heva :

> *Dans certains emplois c'est compliqué. Dans les entreprises privées, t'es obligée de t'habiller en tant que garçon et non en tant que femme, par exemple dans les banques mais c'est un peu partout en fait. Après ça dépend de ton employeur.*

Ces variations diffèrent suivant les rapports entretenus avec les supérieur.e.s qui sont les premiers interlocuteur ou premières interlocutrices avec lesquel. le.s négocier sa féminité.

Rapports aux supérieur.e.s

Les relations entretenues avec la hiérarchie impactent la féminité et les constructions identitaires des personnes trans. Quand la féminité trans n'est pas acceptée certaines peuvent comme Heva adopter un rôle d'homme efféminé, mais d'autres continuent d'affirmer leur féminité. Dès lors, les rapports entre la hiérarchie et les trans deviennent conflictuels comme me l'a confié Ami :

> *Aujourd'hui je subis la pression de ma hiérarchie.*

À la suite de cette révélation je lui demande de me décrire cette pression :

> *C'est de la pression morale. Parce que, ça n'a rien à voir avec mon travail. Je fais du très très bon travail. J'ai une bonne relation avec la population. Je suis moi-même présidente de l'association de quartier (...). C'est plus au niveau de mon comportement. C'est-à-dire qu'ils n'acceptent pas le*

fait que je me transforme en femme. Le fait que je me maquille et que je m'habille en femme, pour eux c'est impensable. J'allais, à un moment, en robe ou en jupe au travail. J'ai été convoqué par mes chefs pour me mettre la pression psychologique et me dire que je ne devais pas me mettre de robe ou que je ne devais pas me mettre en jupe parce que je devais garder un respect professionnel.

La féminité trans est perçue comme irrespectueuse du point de vue professionnel. L'appréhension des comportements des personnes trans semble s'arrêter à leur féminité. Leur personnalité est réduite à ce simple caractère qui les discrédite au sein de la population de l'île. Dans leur emploi, elles subissent les mêmes stigmatisations qu'elles ont pu connaître au sein de leur famille ou dans leur vie de tous les jours. Face à cette réalité, Ami a fait le choix de ne pas tenir compte des avis de sa hiérarchie :

Je ne me laisse pas faire. J'ai déjà subi ça auprès de mon père. Mon père a été ma plus grosse crainte. Aujourd'hui, mon travail ne me fait pas peur. Je veux dire, même s'ils me disent de me comporter en tant que garçon. Jamais je ne vais les écouter. Même s'ils me donnent des avertissements et tout. Je m'en fous. Parce que je veux être celle que j'ai toujours voulu être et c'est pas mon travail, c'est pas des inconnus qui vont me dire ce que je dois faire. Il en est hors de question. Ma plus grande bataille c'était mon père. Je l'ai combattu, ils ne vont jamais réussir à m'arrêter. Jamais.

Ayant déjà connu de telles expériences dans son passé, Ami ne veut plus se soumettre aux normes qui l'ont obligée à être un garçon. À l'instar des stratégies mises en place au sein du cadre familial, on retrouve les mêmes stratégies de négociation et les mêmes marges d'action pour affirmer une féminité. Comme dans les relations familiales, certain.e.s employeurs ou employeuses acceptent la féminité de leurs employées et les aident même à se construire et à construire leur genre. Elsa, employée de maison depuis plus de 10 ans dans une riche famille de l'île, parle de ses employeurs comme de ses parents adoptifs. Elle s'inspire de leur vie afin de construire la sienne et les prend comme modèle. Sa patronne l'aide à faire des choix au sujet de la construction de son genre. Elle a ainsi décidé de ne pas faire de vaginoplastie sur ses conseils.

Quelque soient les rapports entretenus avec les suppérieur.e.s, les personnes trans sont toujours ramenées à leur transgenralité. Que ce soit pour tenter de cacher certains caractères ou pour au contraire les laisser s'exprimer, le monde du travail réactive les problématiques liées à la transgenralité sur l'île. On aurait pu croire que dans la sphère de l'emploi ces questionnements s'effaceraient, laissant place aux capacités professionnelles. Or dans le travail, les normes sociales et les négociations qui y sont liées sont réactivées. Lorsqu'Ami dit : *Mon travail c'est mon mari,* elle insiste sur l'importance du travail dans les trajectoires de vie trans mais elle souligne aussi les similitudes entre les interrelations professionnelles et les interrelations familiales et sentimentales. Toutes sont prises dans les mêmes logiques vis-à-vis des trajectoires de vie trans. Ces relations ont la capacité de légitimer la féminité et l'indentification genrée des personnes trans et en même temps peuvent les discréditer durablement. Cette ambivalence des interrelations entre les personnes trans et le reste de la population est essentielle à la compréhension de la construction de la transgenralité à Tahiti : faire et en même temps négocier son genre. Opérant une transgenralité qu'elles savent stigmatisée, elles doivent en même temps se féminiser et négocier leur normalité. La principale problématique des trajectoires de vie trans à Tahiti réside dans cette double dynamique.

Comprendre la transgenralité locale

Performer son genre

« Le sexe désigne communément trois choses : le sexe biologique, tel qu'il nous est assigné à la naissance (...), le genre, provisoirement défini comme les attributs du féminin et du masculin (...), enfin, la sexualité, c'est-à-dire le fait d'avoir une sexualité, d'« avoir » ou de « faire » du sexe. » (Dorlin, 2014 ; 5)

Ces notions autour du sexe, du genre et de la sexualité me semblent indispensables pour saisir ce que se joue dans cette étude. Comme tout objet des sciences sociales, le genre se construit au cours des interactions quotidiennes. Depuis les années 1960, les *Gender Studies* s'attachent à comprendre les processus sociaux liés au genre et l'impact de ce dernier sur les trajectoires de vie individuelles. La transgenralité tahitienne, aussi complexe qu'elle semble être, peut être comprise grâce à ces théories.

L'ethnométhodologie pour comprendre la routine de la transgenralité à Tahiti

Dans ses écrits et ses recherches Harold Garfinkel porte attention aux activités les plus communes de la vie sociale. Dans son contexte historique l'auteur rompt avec une sociologie traditionnelle qui s'intéresse alors uniquement aux grands phénomènes qui font société. Selon lui, les activités ordinaires sont des phénomènes sociologiques de plein droit car les personnes organisent et gèrent leur vie quotidienne grâce à des processus sociaux particuliers. La description est au cœur de cette approche et plus particulièrement la description des interactions entre les membres de mêmes groupes. En effet, les « non-dits » dans les conversations quotidiennes font références à des activités concertées de la vie courante. C'est-à-dire que les personnes partageant ces activités de référence ne peuvent se référer à un contexte précis car celui-ci implique une multitude d'autres actions passées et futures. Dans *Recherche en ethnométhodologie,* Harold Garfinkel explique comment les proches de ses étudiant·e·s réagissaient après que ces derniers se comportaient avec eux comme des étrangers, c'est-à-dire en leur demandant de décrire tout ce qu'ils sous-entendaient dans leurs discours. Les réactions des proches montrent que lorsque l'on supprime le socle routinier des actions, les actrices et acteurs se retrouvent privés de compréhension commune et ont des difficultés à créer une interaction (Garfinkel, 2002 (1967) : Chapitre 2 « Le socle routinier des activités ordinaires »). Les routines banales sont la base de toutes interactions et de toute vie sociale. D'un point de vue théorique et méthodologique, il semble nécessaire de saisir les routines des acteurs et actrices afin de comprendre non seulement leurs réalités sociales mais aussi comment elles et ils font société. D'où l'importance de partager la vie quotidienne des personnes afin d'avoir accès à leur socle routinier. La démarche ethnographique, avec son observation participante, a été l'outil parfait pour cela, me permettant de percevoir le caractère commun de la transgenralité à Tahiti.

La réalité est une réalisation. Seul.e.s les acteurs et actrices assurent l'intelligibilité et la coordination des actions communes. L'ethnométhodologie ne conçoit pas l'existence de modèles sociaux préétablis. Aucune catégorie n'étant invariante, les acteurs et actrices ne peuvent qu'interpréter ce qu'elles et ils considèrent comme le modèle ou la norme et donc de ce fait l'altèrent. L'ordre social tient dans la constitution intersubjective d'un mode de compréhension partagé qui se réalise dans l'action commune. Les personnes trans sur l'île apprennent comment elles doivent se tenir, s'habiller et se comporter grâce aux trans plus âgées et expérimentées qui leur servent de modèles. Une fois adultes elles servent à leur tour de modèles aux futures générations. Il n'y a pas un unique modèle de trans qui préexisterait à la transgenralité elle-même. Chacune, par son vécu et ses relations, crée son propre modèle de la transgenralité qui sera repris et surement modifié par les trans lui succédant. Cette conception du social implique que les rationalités ne sont pas stables. Elles sont gouvernées par les présuppositions de la vie quotidienne qui les réalisent. Les propriétés de la rationalité sont les matériaux empiriques de la vie et des activités courantes. Tout contexte organise ses activités afin qu'elles soient observables et descriptibles, c'est-à-dire intelligibles par les membres.

En rendant « le monde obstinément familier » (Garfinkel, *op. cit.* : 101), le sens commun agit comme une prophétie auto-réalisatrice. En apposant le nom de *raerae* aux personnes trans, le sens commun s'attend à ce que toutes les personnes trans agissent d'une certaine manière sur la scène sociale, par exemple en étant extravagantes, en exagérant leurs attitudes voire en étant vulgaires. Si une personne trans n'agit pas de la manière attendue, en ayant un poste de responsabilité ou en passant totalement pour une femme, alors elle remettra en question la gestion de l'ordre social qui classe et définit les trans comme des *raerae*. L'ordre social sert d'appui aux activités de la vie courante tout en soumettant les personnes aux attentes de la vie quotidienne. Les normes sociales se reproduisent au fil des actions et interactions car « la routine [doit être considérée] comme condition nécessaire de l'action rationnelle » (*ibid.* :274). Agir rationnellement, selon Harold Garfinkel, c'est agir en tenant pour acquises les caractéristiques de l'ordre social. La routine est donc perçue comme une condition de gestion délibérée, efficace et calculée des contextes pratiques. Le souci de l'apparence est important car il rend pertinent les relations interpersonnelles. Les recherches ethnométhodologiques se basent sur l'observation des faits sociaux puis sur un travail d'interprétation des données afin de saisir les routines qui laissent apparaître les structures sociales. Dans cette méthodologie de recherche, il est intéressant de prendre des cas d'études qui perturbent les relations routine-rationalité, comme c'est par exemple le cas avec les problématiques transgenres. Ces cas permettent de comprendre comment se réalise l'ordre social.

Le cas d'Agnès

L'étude du cas d'Agnès est une mise en pratique de l'ethnométhodologie face aux thématiques du genre. C'est aussi un cas d'école dans le courant des *Transgender Studies*. Afin de comprendre comment se réalise et se transforme la répartition des genres au sein de la population, Harold Garfinkel propose d'analyser la situation d'Agnès. Cette femme suit un processus médical afin de passer d'un appareil génital mâle à un appareil génital femelle. En étudiant ce cas « anormal », car ne correspondant pas à la dichotomie habituelle des genres suivant le sexe dit biologique, l'auteur met en avant que l'identité genrée est acquise :

> « La sexualité normale telle qu'on peut l'observer et la dire a pour seule source la pratique de ces membres, qui prennent place, seulement, exclusivement et entièrement, dans des

occasions concrètes, singulières et particulières, à travers les manifestations réelles et observables de conversations et de conduites ordinaires » (Garfinkel, 1967 : 286).

Les acteurs correspondant aux normes sociales ne portent pas attention à l'acquisition de leur identité de genre car celle-ci fait partie de leur routine et de leurs pratiques courantes. On peut parler d'incorporation des identités normales de genre car elles sont incontournables et non-remarquées par les acteurs. Dans le cas d'Agnès, la routine et les pratiques courantes de genre ne lui sont pas incorporées. Elle doit constamment improviser suivant les interactions car dans son enfance elle a été socialisée comme un garçon. Ce *passing*, tel qu'il est nommé par l'auteur, d'un genre à un autre souligne l'apprentissage des normes sociales et la construction des manières d'agir avec les autres. En observant et en décrivant les pratiques genrées, Harold Garfinkel met en avant les processus de réalisation des normes genrées et leur reproduction dans les interactions quotidiennes. L'étude des conversations réalisées avec Agnès ainsi que les consignes de conduite qu'elle a mises en place donne accès par la négative à la structuration des scènes ordinaires de la vie sociale.

Cette idée de passage entre des pratiques d'homme acquises durant l'enfance et celles de femme qu'Agnès apprend à l'âge adulte ne correspond pas exactement au vécu des trans à Tahiti. En effet, elles acquièrent des comportements féminins dès le plus jeune âge. La présence de personnes trans dans la société faisant partie du socle routinier de chacun.e, les enfants ont dès le plus jeune âge les ressources nécessaires pour apprendre des pratiques féminines qu'importe leur sexe dit biologique. Afin d'être socialement identifiée comme féminine, les personnes trans ne doivent montrer aucun aspect physique masculin. Mais ne pas être masculine ne signifie pas automatiquement passer pour une femme. Dans ce cas il n'y aurait pas de différence sociale entre les trans et les femmes. Or, les trans sont généralement reconnues à cause de leur comportement. Pour la collectivité c'est cette féminité exacerbée qui signifie la transgenralité dans l'espace public. Certaines trans, voulant changer de sexe, ont la volonté de passer totalement pour des femmes et arrivent à le faire. D'autres au contraire n'ont pas ce but et jouent volontairement une féminité qui n'est pas associée aux femmes mais aux trans. Il n'y a alors pas de *passing* au sens où l'auteur l'entend. Cependant, les écrits d'Harold Garfinkel n'en restent pas moins centraux afin de comprendre la réalité des vécus, et beaucoup de chercheuses et chercheurs en *Gender Studies* ont par la suite repris ces travaux afin de construire leur propre théorie.

Doing Gender pour comprendre comment sont catégorisées les personnes trans à Tahiti

Candace West et Don Zimmerman font partie de ces auteurs et autrices à avoir repris les travaux d'Harold Garfinkel. Le concept de *doing gender*, développé en 1977, mais publié seulement en 1987 dans la revue *Gender and Society*, est basé sur l'étude du cas d'Agnès. Afin de développer leur concept, l'auteur et l'autrice nomment et définissent trois catégories correspondant à trois niveaux allant du sexe dit biologique au genre social : *sex*, *sex category* et *gender*.

Sex

Le *sex* est le critère biologique qui détermine les individus comme étant femelle ou mâle selon qu'elles ou ils possèdent un utérus et des ovaires ou un pénis et des testicules. Cette division est conventionnellement reconnue dans la vie de tous les jours. Chacun·e a conscience d'être sexué·e et a conscience que l'ensemble des membres de son environnement est aussi sexué·e. L'assignation du sexe biologique se fait à la naissance, voire même avant lors de l'échographie du second semestre. L'assignation de ce sexe biologique fait partie du processus de l'attribution du genre, en essentialisant et naturalisant la dichotomie entre femmes et hommes suivant des critères biologiques précédant la socialisation primaire.

Sex category

Les parties génitales n'étant que très rarement visibles sur la scène sociale, la catégorisation femme/homme se fait de manière inconsciente si bien qu'elle peut sembler naturelle, c'est-à-dire induite par le sexe dit biologique. Dans la vie quotidienne, chacun·e catégorise les individus suivant les apparences liées socialement aux sexes biologiques. L'identification des *sex categories* se fait suivant le modèle de déduction « si-alors ». Si une personne agit de telle manière c'est alors qu'elle doit être catégorisée comme ceci : si une personne porte une robe et des talons hauts, alors c'est une femme. Autrement dit, les attitudes, les actions et les propos tenus sur la scène sociale impliquent soit la possession d'un utérus et d'ovaires soit d'un pénis et de testicules. Cependant dans cette logique, personne ne va vérifier que tous les individus avec une robe et des talons hauts ont un utérus. De cette manière il est possible de se faire passer pour un membre du « sexe opposé » en adoptant les manières routinières de l'apparence de ce dernier. C'est le cas des trans qui jouent sur les codes physiques féminins pour se faire passer pour des femmes malgré leur pénis.

Il est important de souligner ici que certaines trans tahitiennes ne souhaitent pas se faire passer pour des femmes. Elles revendiquent un statut particulier comprenant des manières de faire et d'être qu'on peut qualifier de féminines tout en souhaitant être assignées à un sexe masculin. En ce sens elles ne souhaitent pas se faire opérer afin de changer l'apparence de leur sexe et agissent avec une féminité très marquée. Cette catégorisation semble fonctionner, dans le sens commun, de la même manière que la catégorisation femme/homme sur le modèle de « si/alors ». Par exemple, si une personne a une apparence féminine et un comportement féminin extravagant alors c'est une trans. Cette catégorisation ne vaut pas pour l'ensemble des trans à Tahiti mais c'est celle qui est retenue par le sens commun sur l'île.

Gender

Afin d'être catégorisés comme femelles ou mâles, les individus doivent agir suivant les comportements liés à leur genre. Le genre est la manière de réaliser socialement les différences entre femme et homme. Cette dichotomie est construite socialement dans les interactions quotidiennes des membres. Lors d'interactions les hommes normalisent leur masculinité et les femmes leur féminité. À la lumière des conceptions normatives des genres, chacun·e gère son comportement afin qu'il reflète la catégorie sexuelle de sa personne. Suivant les contextes et situations particulières les individus doivent improviser leur rôle genré afin qu'il soit cohérent avec les routines mise en place.

Le genre n'est pas induit par des critères biologiques. Cependant, il existe des relations entre les notions de *sex*, *sex category* et *gender* qui permettent de comprendre comment se réalise la distinction entre femme et homme. Le concept de *doing gender* articule ces trois notions afin de comprendre comment se fait et se légitime la dichotomie des genres. À la vue des premiers éléments déjà donnés sur le contexte tahitien je souhaite nuancer cette vision dichotomique des genres propres au contexte européen et nord-américain à partir duquel les auteurs et autrices écrivent leur propos. Il me semble important de voir la transgenralité comme catégorie routinière à Tahiti car elle est normalisée dans les interactions quotidiennes. Une personne trans agissant du jour au lendemain comme un homme paraîtra incohérente aux yeux des autres actrices et acteurs. Je me souviens que parlant avec un homme à Tahiti de la possibilité d'une mobilité de genre de trans à homme ce dernier me disait que, selon lui, cela était impossible et que cela ne c'était jamais vu.

Doing Gender

Le genre est une routine de la vie sociale qui structure l'ordre social entre les femmes et les hommes. *Doing gender* ou « faire le genre » signifie que le genre est une production sociale faite par les actrices et acteurs. En effet, par la perception, les interactions et les positionnements micro-politiques sur la scène sociale, chacun·e réalise son genre en adoptant un comportement féminin ou un comportement masculin. Candace West et Don Zimmerman reprennent les écrits d'Erving Goffman (Goffman, 1977) afin de conceptualiser la féminité et la masculinité comme des prototypes essentialistes qui performent et s'engagent dans les discours des acteurs :

> « Faire le genre signifie créer des différences entre filles et garçons et entre femmes et hommes, différences qui ne sont pas naturelles, essentielles ou biologiques. Une fois que les différences ont été construites, elles sont utilisées pour renforcer le caractère essentiel du genre » (West & Zimmerman, 1987 : 137).

Les identités de genres sont sélectionnées à la naissance lors de l'attribution d'un sexe dit biologique. Par la suite la socialisation sera genrée en fonction du sexe : les individus apprendront quels comportements elles et ils doivent mettre en avant et comment elles et ils doivent catégoriser les pratiques qu'elles et ils perçoivent. Cette socialisation permet de construire une auto-identification au sexe assigné et donne la capacité d'identifier les genres sur la scène sociale. Chaque actrices et acteurs a plusieurs identités sociales, qu'elle et il joue suivant les contextes et situations. Cependant, selon Candace West et Don Zimmerman, qu'importe le contexte, les identités de genres sont automatiquement jouées et perçues dans toutes interactions. La catégorisation des genres est toujours valable. On fait son genre dans toutes les circonstances de la vie sociale.

Faire le genre ce n'est pas toujours suivre les conceptions normatives de la féminité ou de la masculinité, c'est aussi s'engager dans des comportements à risques aux vues des appréciations de genre. Les acteurs et actrices ont la capacité d'improviser. Ces situations d'improvisation sont particulièrement observables lors de l'étude des interactions des personnes trans, comme par exemple lors de l'étude du cas d'Agnès. Cependant, ces phases d'improvisations sont risquées au sens où si le reste des membres ne perçoit pas la continuité du genre de la personne, cette dernière n'aura pas réussi à « faire son genre » et sera perçue comme déviante de l'ordre normatif. Cette pression de la norme est particulièrement visible au début des relation de couple entres hommes et trans à Tahiti. Être en couple avec un homme permet de légitimité socialement sa féminité. Cependant, si l'homme ne souhaite pas poursuivre la relation à cause de la transgenralité de sa partenaire, le rôle hétéronormé joué par cette dernière sera totalement rompu. Il en va de même des couples qui se cachent pour ne pas être vus ensemble sur la scène publique et éviter les situations d'improvisation qui mettrait à mal leur normalité sociale. Le contrôle social, via la morale, reproduit ainsi l'ordre basé sur les catégorisations de sexe.

Dans la pratique, le concept de *doing gender* permet d'appréhender la persistance des genres et les invariabilités des inégalités. Les conceptions normatives de la femme et de l'homme sont sans cesse reconstruites dans les interactions. Le concept permet de saisir les structures des modèles sociaux relatifs aux genres, habituellement invisibles à cause de la routinisation des actions et interactions. Dans cette recherche, il est nécessaire d'ouvrir la focale d'observation et d'interprétation afin de rendre opérable le concept *doing gender* à la situation des trans tahitiennes. Si les genres sont reconstruits socialement dans les interactions, les acteurs et actrices ont une marge de manœuvre pour improviser suivant les situations et ainsi rendre la notion de genre dynamique (Deutsch, 2007 ; Connell, 2010). Cet aspect dynamique du genre est mis en lumière sur le terrain par la multiplicité des trajectoires de vie et la diversité des noms et définitions assignées aux personnes trans. Si le genre se réalise dans les interactions sociales il est intéressant de comprendre maintenant de quelles manières il se construit.

La performativity pour comprendre comment se construit la transgenralité tahitienne

Dans les années 1990, John Searle reprend le concept linguistique de performativité, tel qu'il a été défini par John Austin, pour expliquer la construction de la réalité sociale. Son but est de comprendre comment se crée la réalité mentale, comment on passe d'un monde physique à un monde de significations. Selon John Searle, ce passage se fait grâce aux actes de langage, d'où l'importance du concept d'énoncé performatif. Les choses n'ont pas de signification, de fonction, ni même de valeur en dehors de celles qu'on leur assigne. Ce sont les individus qui donnent aux objets et aux choses des caractéristiques particulières. Les faits institutionnels ont besoin d'être nommés afin d'exister :

> « Le langage paraît essentiel non seulement pour que nous nous représentions ces faits ; mais (...) les formes linguistiques en question sont partiellement constitutives des faits » (Searle, 1995 : 57).

Prenons l'exemple de la carte d'identité qui pose de multiples problèmes aux personnes trans. N'importe quel bout de papier plastifié ne peut pas être considéré comme une carte d'identité sinon chacune pourrait facilement changer son prénom ainsi que la mention de son sexe. Cependant on a assigné à certains bouts de papier plastifié un nouveau statut qui en a fait des cartes d'identité et, de ce fait, les cartes d'identité ne sont plus considérées simplement comme un simple bout de papier plastifié. C'est ce changement de statut qui est significatif des faits institutionnels et il ne peut se faire que grâce à l'utilisation d'énoncés performatifs explicites.

John Searle généralise la théorie des énoncés performatifs de John Austin à l'ensemble des aspects de la réalité sociale en mettent en avant l'importance des actes de langage et des croyances collectives dans la construction de la réalité sociale. Les mots employés doivent être pris en compte dans l'analyse des faits sociaux. Par exemple, les termes *raerae* et *māhū* font référence au contexte particulier de Tahiti mais les termes trans, transsexuel ou transgenres, eux aussi utilisés, font eux référence à un contexte plus global et à des problématiques générales liées aux minorités sexuelles et genrées. La présence simultanée de tous ces termes met en avant des problématiques complexes qui se jouent non seulement à l'échelle de Tahiti mais aussi à une échelle internationale. Les mots ayant le pouvoir de faire les choses, il y a des enjeux et des rapports de force autour des actes de langage. Qui utilise quels termes et quand pour parler de qui ou de quoi ? Répondre à cette question permet de comprendre quels sont les enjeux et les rapports de force autour des questions de la transgenralité à Tahiti.

Cette idée de pouvoir liée aux définitions de genre est largement développée dans les travaux de Judith Butler sur la *performativity*. Selon elle, le genre est performatif car il constitue la réalité qu'il est censé décrire. La dichotomie femme/homme ne précède pas le langage, elle en résulte :

> « Il n'y a pas d'identité de genre cachée derrière les expressions du genre ; cette identité est constituée sur un mode performatif par ces expressions, celles-là même qui sont censées résulter de cette identité » (Butler, 2006 : 96).

C'est la société qui définit culturellement la femme et l'homme. Les individus performent leur genre suivant les modèles en vigueur afin que l'on puisse leurs assigner un rôle et un statut spécifique. Les énoncés et les discours sont donc importants car ils créent la réalité qu'ils décrivent. Cependant, pour être considérés comme la réalité, les énoncés doivent être partagés comme une croyance collective par l'ensemble de la communauté. Il ne suffit pas simplement de dire pour faire. La légitimité de la réalité sociale provient de la croyance collective et des performances collectives. C'est ainsi qu'un « paraître (...) réussi à passer pour un être » (Butler, 2006 : 131).

Aux actes de langage performatifs, Judith Butler rajoute les actes du corps. Selon elle, les manières de faire et d'être au monde sont aussi performatives car elles sont déterminées par les catégories langagières. J'ai pu constater ce lien fort entre actes de langage et actes du corps. L'un des éléments essentiels de la catégorisation des personnes trans résidait dans leurs attitudes dites maniérées. Leurs petites manières de faire, de bouger et de se comporter permet en général à l'ensemble de la population de reconnaître une personne trans. Si bien, qu'en adoptant cette attitude maniérée les individus performent leur transgenralité comme ils le feraient en disant publiquement « je suis trans ». Cependant, d'un autre point de vue le comportement des individus est dépendant de leur statut. C'est parce que ces personnes sont trans qu'elles agissent de cette manière-là et non d'une autre. La performativité du genre souligne ainsi l'ambivalence entre la capacité d'action des acteurs et actrices et la détermination des rôles et statuts sociaux :

> « Le 'je' que vous lisez est, en partie, la conséquence de la grammaire qui accorde le statut de personne dans le langage. Je ne me trouve pas en dehors du langage qui me structure, mais je ne suis pas non plus déterminée par le langage qui rend possible ce 'je' » (Butler, Judith 2006, p.48).

Il y a donc beaucoup d'enjeux de pouvoir dans le fait de nommer les choses. Par exemple, si la société tahitienne catégorise les personnes trans avec le terme *raerae*, connoté négativement, cela n'aura pas les mêmes conséquences que si on les nomme transgenres, terme utilisé par les mouvements militants LGBTQI+ internationaux. Afin de théoriser ces rapports de pouvoir avec l'idée de *performativity*, Judith Butler fait appel aux écrits de Michel Foucault concernant le biopouvoir (Michel Foucault, 1976). L'auteur et l'autrice interrogent les pratiques qui mettent en place les conventions sociales et qui régulent les genres. Le concept de biopouvoir met en lumière comment les individus se construisent par assujettissement. L'identité de chacun·e est politique car chacun·e se construit dans des relations de pouvoir. En disant et faisant leur transgenralité, elles se produisent mais elles ne peuvent le faire qu'au sein de l'ordre social normatif qui organise leur vie suivant un cadre qui semble aller de soi dans le sens commun. L'ordre social contrôle les populations en instaurant une discipline des corps. À Tahiti, cette discipline des corps est particulièrement visible chez les personnes trans. Plusieurs personnes m'ont raconté durant nos entretiens la concurrence, la jalousie et la violence, parfois même physique, autour de l'injonction à être la plus belle et la plus féminine.

Dans son ouvrage Judith Butler a pour but de cerner les mécanismes des actes performatifs dans une optique subversive. En comprenant comment l'ordre social se met en place à partir des actes de langage, elle pense donner aux opprimés, aux minorités sexuelles et aux personnes exclues de l'hétéronormativité un pouvoir subversif afin d'exister sur la scène sociale :

> « Si les attributs de genre ne sont pas 'expressifs' mais performatifs, ils constituent en effet l'identité qu'ils sont censés exprimer ou révéler. La différence entre 'expression' et performativité est cruciale. Si les attributs et les actes du genre, les différentes manières dont un corps montre ou produit sa signification culturelle sont performatifs, alors il n'y a pas d'identité préexistante à l'aune de laquelle jauger un acte ou un attribut ; tout acte du genre ne serait ni vrai ni faux, réel ou déformé, et le présupposé selon lequel il y aurait une vraie identité de genre se révélerait être une fiction régulatrice » (Butler, 2006 : 266)

Lors de mes recherches j'ai retrouvé cet aspect subversif de la performativité. Durant mes entretiens et mes lectures j'ai été marquée par la diversité des définitions possibles des termes *māhū* et *raerae*. Il n'y a pas, pour reprendre les mots de Judith Butler de « vraie identité » du *māhū* et de la *raerae*. Face au foisonnement de définitions, parfois antinomiques, des mêmes termes, il m'a semblé important de comprendre leurs contextes d'utilisation afin de mettre en lumière les enjeux de pouvoir qui leur sont liés. Qui se nomme comment ? A quel moment ? Et pourquoi ? Cette approche m'a permis non seulement de saisir comment les personnes trans se positionnent socialement suivant les situations mais aussi de comprendre comment elles s'efforcent de s'affranchir de l'ordre social qui tend à réguler leur vie.

Stigmate et déviance sociale

La focale du genre ne suffit pas à prendre en compte toute la complexité de la transgenralité à Tahiti. Un des éléments essentiels de cette transgenralité réside dans le terme vernaculaire employée pour parler des trans sur l'île : *raerae*. C'est sans nul doute le terme le plus employé pour faire référence à la transgenralité et pourtant c'est un terme évoquant également la prostitution, l'alcool et la drogue. Autrement dit c'est un terme associé à la marginalité et la déviance sociale. Il est dès lors impossible d'analyser le contexte trans tahitien sans questionner la stigmatisation des personnes trans de l'île.

Le stigmate pour comprendre la marginalisation des personnes trans à Tahiti

Afin de comprendre toute la complexité des trajectoires de vie étudiées, il est nécessaire de théoriser le champ de la déviance et des marges sociales. En effet, le fait d'être trans semble être vécu à Tahiti comme un stigmate, c'est-à-dire que la transgenralité semble être un marqueur de différence vis-à-vis des autres membres de la population. Le fait d'être trans discrédite les personnes et les classes dans une catégorie souvent stéréotypée et marginalisée. Erving Goffman définit le stigmate comme « un attribut qui jette un discrédit profond, mais il faut bien voir qu'en réalité c'est en termes de relations et non d'attributs qu'il convient de parler ». Dans son ouvrage *Stigmate* (1963), l'auteur s'intéresse aux interactions entre les personnes stigmatisées et les autres membres de la population afin de comprendre comment le stigmate est traité durant les interactions, analysant ainsi la relation entre stigmate et déviance. Pour cela, il théorise le vécu du stigmate en définissant trois types d'identité présents chez chacun.e lors des interactions : l'identité sociale, l'identité personnelle et l'identité pour soi.

L'identité sociale

L'identité sociale est celle de la stigmatisation. Celle qui met à l'écart les individus suivant qu'ils possèdent ou non des attributs discréditables. Selon l'auteur, une personne ayant un stigmate n'est plus considérée à part entière comme un être humain. De ce fait elle subit toutes sortes de discriminations qui diminueront ses chances dans l'interaction. Afin de justifier et de théoriser cette stigmatisation le reste de la population construit une idéologie du stigmate qui présente le ou la stigmatisé.e comme un danger. Durant l'enfance des personnes en question dans cette étude, les réactions de certain.e.s parents démontrent bien cette idéologie du stigmate. Afin d'éloigner le danger du stigmate de la transgenralité, elles et ils tentent de masculiniser leur enfant, ou encore au contraire de la faire passer le plus rapidement possible pour une « vraie » fille ou encore éloigne géographiquement leur enfant en le confiant à un membre éloigné dans l'ensemble des *fēti'i*. La personne stigmatisée n'est alors plus considérée comme un individu auquel il convient de porter une attention sociale. De cette manière, les personnes stigmatisées acquièrent en général des expériences de vie communes que l'auteur théorise comme un « itinéraire moral » de la stigmatisation :

> « L'une des phases du processus de socialisation ainsi engagée est celle durant laquelle l'individu stigmatisé apprend et intègre le point de vue des normaux, acquérant par-là les images de soi que lui propose la société, en même temps qu'une idée générale de ce qu'impliquerait la possession de tel stigmate. Puis vient la phase où il apprend qu'il possède ce stigmate et connaît, cette fois en détail, les conséquences de ce fait. L'enchaînement et les rapports mutuels de ces deux premières étapes de l'itinéraire moral édifient la structure fondamentale, d'où partent les évolutions ultérieures, et qui différencient les itinéraires moraux ouverts au stigmatisé » (Goffman, 1963 : 46)

Durant l'enfance la plupart des trans connaissent les mêmes expériences de vie au sein de leur famille ou à l'école. Pourtant, chacune tend à s'adapter différemment suivant son environnement social et surtout familial. Mises à l'écart et ayant vécu les mêmes expériences, il n'est pas rare que les personnes stigmatisées se retrouvent en groupe. Ainsi se créent des relations autour de l'idée de *tauturu* entre les membres possédant le même stigmate et partageant les mêmes expériences de vie.

Une autre stratégie mise en place est celle de la hiérarchisation des personnes stigmatisées suivant la visibilité de leur stigmate. En ce sens, les personnes stigmatisées adoptent entre elles la même attitude que le reste de la société à leur égard. J'ai remarqué cette attitude particulière des trans à se détacher systématiquement des autres trans dans leur propos afin de ne pas être assimilées aux stéréotypes de la *raerae*. Chacune trouve ainsi des personnes pouvant être encore plus stigmatisées qu'elles vis-à-vis des normes sociales en vigueur. Dans les discours, ces personnes tentent de se distancer des autres trans afin d'être assimilées à un groupe moins stigmatisé. L'identité sociale est utilisée pour catégoriser le monde social dans son ensemble et situer les personnes qui nous entourent. C'est pour cela qu'elle est basée sur des stéréotypes et répond à des normes avec un répertoire de rôles préexistants. Lorsque les interactions sont quotidiennes ou resserrées entre stigmatisés et « normaux » les rapports tendent à reconsidérer la personne stigmatisée comme humaine et ayant une identification qui lui est propre. On reconnaît alors son identité personnelle.

L'identité personnelle

L'identité personnelle est l'unicité de la personne, la combinaison unique de ses faits qui permet son identification. D'une certaine manière, l'identité personnelle participe à l'identité sociale car certains signes de l'identité personnelle jouent le rôle de « porte-identité » sur la scène sociale, comme par exemple la féminité exacerbée de certaines trans à Tahiti. Ce sont les informations sociales liées à l'identité personnelle qui stigmatisent les individus lors de l'identification sociale. Les symboles du stigmate sont donc émis par la personne stigmatisée et diffusés par ses expressions corporelles. Si les individus stigmatisés sont à la l'origine de la divulgation du stigmate, ils peuvent alors avoir une marge d'action sur la visibilité et les moyens de faire savoir qu'ils possèdent ou non des attributs discréditables. Dès lors :

> « Le problème n'est plus tant de savoir manier la tension qu'engendrent les rapports sociaux que de savoir manipuler l'information concernant une déviance : l'exposer ou ne pas l'exposer ; la dire ou ne pas la dire ; la feindre ou ne pas la feindre ; mentir ou ne pas mentir ; et, dans chaque cas, à qui, comment, où et quand » (Goffman, 1963 : 57).

Diverses stratégies peuvent alors être mises en place afin de contrôler l'information. Entre secret absolu et informations complètes, il y a d'un côté de nombreux avantages à être considéré comme normal mais de l'autre il y a des risques importants à être discrédité sous une fausse identité publique : certaines trans rencontrées ont eu parfois peur pour leur vie lorsque des personnes de leurs entourages ont découvert leur transgenralité. Les choix opérés afin de contrôler les informations ont des répercussions sur les trajectoires de vie et les identités personnelles des individus. Ce contrôle de l'information vaut aussi pour les personnes proches des stigmatisées. Ces proches peuvent être aussi discrédité·e·s à cause de leur relation avec la ou le stigmatisé·e. Ces personnes deviennent alors discréditables et doivent, elles aussi, contrôler et dissimuler les informations qu'elles diffusent au sujet de cette relation considérée dès lors comme honteuse. J'ai pu observer que certains parents éloignent leur enfant trans du domicile familial quand d'autres cachent sa féminité pour se préserver du *ha'amā* d'avoir une enfant trans.

L'identité en soi

Reste à définir l'identité pour soi. Selon Erving Goffman, elle correspond à l'identité sentie, « c'est-à-dire le sentiment subjectif de sa situation et de la continuité de son personnage que l'individu en vient à acquérir par la suite de ses diverses expériences sociales » (Goffman, 1963 : 127). En ce sens, elle est caractérisée par le ressenti du stigmate. Cette identité est peu analysée par l'auteur, par rapport aux deux précédentes. L'identité pour soi est d'une part politique car se référant aux normes sociales et de l'autre psychiatrique car se jouant à l'échelle individuelle. Cette identité ne peut être analysée, ou sinon très peu, dans les interactions sociales. Je ne souhaite pas travailler avec cette partie du concept car je n'ai pas les données ni la méthodologie pour aborder le point de vue psycho-social. Il me paraît cependant essentiel de noter que selon l'auteur, les normes d'identité engendrent la déviance autant que la conformité et cela suivant des critères sociaux. Il se peut ainsi qu'une même personne puisse jouer en même temps les deux rôles suivant les attributs qu'elle possède :

> « Le normal et le stigmatisé ne sont pas des personnes mais des points de vue. Ces points de vue sont socialement produits

lors des contacts mixtes, en vertu de normes insatisfaites qui influent sur la rencontre » (Goffman, 1963 : 161)

Les stigmates sont les fruits des interactions sociales. Lorsqu'un individu ne correspond pas aux attentes normatives du groupe, il est stigmatisé, à l'image des trans à Tahiti. Si les écrits d'Erving Goffman permettent de conceptualiser la stigmatisation comme un processus construit socialement dans les interactions, l'auteur ne fait pas cas de la déviance comme une construction sociale ancrée dans la durée. Qu'advient-il une fois que les individus sont considérés comme déviants ? Quelles trajectoires peuvent-ils emprunter ?

L'étude des carrières dites déviantes pour comprendre le vécues des trans tahitiennes

Howard Becker propose dans son ouvrage *Outsiders* (paru en 1963) d'analyser la déviance sociale comme résultant de l'institution de normes. La déviance n'est donc pas un attribut individuel inné mais une étiquette sociale que la collectivité applique aux personnes transgressant les normes sociales en vigueur, comme par exemple les normes de catégorisation de genre. La catégorie des déviants est de ce fait très large et hétérogène. Il est inutile de chercher des profils types de déviants car leur seul point commun est qu'elles et ils partagent la même qualification. Pour l'auteur il faut appréhender la déviance, comme tout processus social, par sa banalité.

La déviance doit être pensée comme le résultat d'un processus impliquant une réponse des autres à une conduite exposée. Au terme de ce processus les personnes étiquetées comme déviantes sont considérées comme extérieures à un groupe de référence. Le rôle des autres est fondamental car la déviance dépend non seulement du fait qu'un acte transgresse une norme mais aussi de la manière dont réagissent les autres une fois que cet acte est commis : « la déviance est une propriété non du comportement lui-même, mais de l'interaction entre la personne qui commet l'acte et celles qui réagissent à cet acte » (Becker, 1985 : 38). La déviance se construit dans l'interaction. Si une personne commet un acte déviant mais que personne ne s'en aperçoit elle ne sera pas considérée comme déviante. Il se peut aussi qu'une personne adopte des comportements déviants sans qu'elle s'en rende compte, devenant ainsi déviante vis-à-vis des normes qu'elle n'accepte pas mais qui lui sont imposées. C'est par exemple le cas des trans à Tahiti. La plupart adoptent un comportement féminin durant leur enfance qui leur semble normal bien que pour le reste de la population, ce comportement soit perçu comme déviant. Ces différents points de vue posent la question de l'imposition des normes et plus particulièrement de déterminer quels sont les groupes capables de les imposer. Ces questions sont bien sûr politiques et économiques et illustrent les rapports de pouvoir au sein d'une collectivité donnée. Les normes n'étant jamais acceptées de manière unanime elles font l'objet de désaccords et de conflits laissant un espace de parole et de négociation aux personnes déviantes. L'association avec laquelle j'ai pu travailler à Tahiti exploitait cet espace de parole avec les autorités publiques afin d'entamer une discussion et de pouvoir changer les conditions de vie des personnes trans sur l'île. Cependant, les processus politiques se déroulant sur de longues périodes, certaines personnes peuvent choisir de cacher leur déviance afin de ne pas être menacée d'exclusion. Les enfants trans vivant chez leurs parents cachent souvent leur féminité afin de pouvoir rester au sein du domicile familial. Une fois adulte, au contraire, passer totalement pour une femme (au sens du *passing* d'Harold Garfinkel) peut être considéré comme une manière de cacher sa déviance. Il est préférable d'être perçu comme femme et non comme trans afin de ne pas être exclue de la collectivité.

Cette mobilité d'une position à une autre ainsi que l'idée de circonstances contextuelles affectant la vie des personnes trans correspond au concept de "carrière" développé par l'auteur. Selon lui, les carrières déviantes doivent-être pensées de la même manière que les carrières professionnelles :

> « On peut facilement transposer ce modèle pour étudier les carrières déviantes. Mais cette transposition ne devrait pas conduire à s'intéresser uniquement aux individus qui suivent une carrière débouchant sur la déviance de plus en plus affirmée et finissant par adopter une identité et un genre de vie radicalement déviants. Il faudrait prendre en compte ceux qui entretiennent avec la déviance des rapports plus éphémères et que leur carrière éloigne ultérieurement de celle-ci » (Becker, 1985 : 47-48)

Dans cette recherche je me suis intéressée non seulement aux trans mais aussi à toutes les personnes qui ont été travesties ou qui sont devenues femmes après avoir été trans. Le concept de carrière évoque aussi l'idée d'un apprentissage. La déviance n'est pas un caractère inné mais une activité qui s'apprend avec des statuts et des caractéristiques qui lui sont propres. Ce sont les groupes déviants eux-mêmes qui mettent en place les processus d'apprentissage. A Tahiti, les jeunes trans s'informent et apprennent auprès de trans plus âgées. Les groupes déviants sont des groupes stables qui développent sur le long terme un genre de vie qui leur est propre. Pour l'auteur, il est important de comprendre ce mode de vie et surtout les aspects qui ne sont pas partagés avec les autres membres de la société. Les groupes ainsi organisés tendent à récuser les normes morales conventionnelles et les institutions officielles. Se cristallise ainsi une « identité déviante » qui rationalise les positions du groupe par des justifications historiques, juridiques et psychologiques. De nombreuses fois durant nos entretiens les personnes interrogées faisaient référence à la présence culturelle et historique de trans en Polynésie ainsi qu'à des définitions psychiatriques du genre féminin pour justifier leur existence et leurs attitudes. « L'identité déviante » une fois reconnue par la collectivité peut alors opérer comme une prophétie auto-réalisatrice. C'est-à-dire qu'à partir de certaines caractéristiques principales comme le fait d'être trans, la collectivité attend à ce que la ou le déviant.e possède d'autres caractéristiques telles que l'exubérance ou l'ultra-féminité. La manière dont la collectivité traite les personnes trans peut alors les amener à amplifier leur déviance. Par exemple, si certaines trans ne trouvent pas un emploi à cause de leur exubérance présumée, elles peuvent se tourner vers la prostitution de rue. Commence alors un cercle d'amplification de la déviance.

Au début de ce processus amenant à la déviance se trouvent les autres membres de la collectivité qui disqualifient publiquement les actes des personnes déviantes :

> « Avant qu'un acte quelconque puisse être considéré comme déviant et qu'une catégorie quelconque d'individus puisse être étiquetée et traitée comme étrangère à la collectivité pour avoir commis cet acte, il faut que quelqu'un ait instauré la norme qui définit l'acte comme déviant » (Becker, 1985 : 186).

Ces personnes à l'origine de la norme sont appelées des « entrepreneurs de moral ». Les normes sont créées afin d'orienter les actions individuelles et collectives. De ce fait, elles sont vagues et ambigües pour encadrer l'ensemble du monde social. Elles laissent place à des interprétations qui peuvent être divergentes. Par exemple si on cherche à assigner un genre aux personnes trans suivant la norme de la bi-catégorisation femme/homme, doit-on prendre en considération le sexe dit biologique ou le genre social de ces personnes ? Les normes sont imposées de manière sélective suivant les contextes. Pour reprendre l'exemple précédent, suivant les situations c'est le genre social qui prévaut quand d'autre fois c'est l'assignation dite biologique. Dans ce cas, les entrepreneur.e.s de moral adoptent une éthique intransigeante vis-à-vis des personnes déviantes et tendent à imposer leur vision du bien et du mal. Ces groupes ou personnes ont généralement un pouvoir de légitimité et un statut social qui leur permet d'influencer favorablement l'opinion. A Tahiti, les entrepreneur.e.s de moral du genre sont principalement les différentes Eglises qui catégorisent les trans comme des monstruosités, et les autorités publiques qui ignorent tout simplement les personnes trans dans leurs programmes de politiques sociales, partant du principe législatif français qu'il n'existe que deux genres : femme et homme. Pour Howard Becker, sans les initiatives des entrepreuneur.e.s de morales la déviance n'existerait pas. La déviance est le résultat de l'interaction entre divers groupes, poursuivant chacun leurs intérêts. Certains groupes ayant plus de pouvoir que d'autres ont la possibilité de mettre en place et d'appliquer des normes qui qualifient les intérêts d'autrui comme déviants. Cette déconstruction de la déviance amène à penser sa normalité et sa banalité dans le monde social :

> « Nous ne devons pas les considérer [les comportements déviants] comme quelque chose de particulier, de dépravé, ou, par une sorte de magie, comme quelque chose de supérieur aux autres formes de comportements. Nous devons les considérer simplement comme une forme de comportement que certains désapprouvent et que d'autres apprécient et étudier les processus selon lesquels ces deux perspectives se constituent et se perpétuent » (Becker, 1985 : 198).

Les personnes trans tahitiennes ne sont pas intrinsèquement déviantes. Leurs comportements ne sont pas anormaux en eux-mêmes, ils sont seulement marginalisés par la plupart de la population. Les rapports de pouvoir font simplement que les trans n'ont pas la capacité de faire approuver leurs comportements sur la scène sociale. Elles mettent donc en place individuellement ou collectivement des stratégies afin de faire changer l'opinion publique sur la transgenralité. L'enjeu est grand, il en va de leur acceptation dans la normalité.

Epilogue

Au sein des études sur le genre existent de nombreuses théories qui diffèrent suivant les contextes historiques, les contextes géographiques et les auteurs et autrices. De peur de tomber dans une analyse basée sur des *a priori* naturels, j'ai choisi d'aborder la thématique de la transgenralité. En Europe et en Amérique du nord, on assiste depuis plusieurs années à la médiatisation des luttes pour les droits des minorités sexuelles et genrées grâce notamment aux nombreux mouvements militants LGBTQI+. Ce contexte particulier est très intéressant pour mettre en avant le dynamisme social des normes de genre. De ce fait beaucoup de recherches sont menées en Europe et en Amérique du Nord. Cependant, il y a un certain ethnocentrisme à ne s'intéresser qu'à la transgenralité dans un seul et même contexte géographique. L'étude de la transgenralité à Tahiti amène de nouveaux points de vue et mets en avant des processus sociaux peu étudiés ou étudiables dans d'autres contextes. Il m'a semblé primordiale au vu de l'objet de recherche de centrer l'analyse sur la vie ordinaire des personnes avec lesquelles je peux dire que j'ai collaboré à produire du sens durant cette recherche. Les objets des sciences sociales sont avant tout des objets construits par la pensée ordinaire. Ce sont les individus qui construisent leur propre réalité dans un système donné. Chacun.e crée par la routinisation de ses activités les institutions sociales qui semblent par la force du temps être inhérentes à la société. Du fait de son apprentissage et de ses perceptions, l'individu se construit et construit la réalité sociale qui l'entoure. S'intéresser au vécu des personnes trans a permis d'ancrer dans le contexte local des concept plus globaux et généraux sur le genre et la déviance et ainsi d'articuler de manière originale féminisation et marginalisation. Laissant de côté les *a priori* hétéronormés liés à des contextes culturels européens et nord-américain, cette recherche a eu pour ambition de visibiliser la marginalisation des trans vis-à-vis de leurs pratiques et leur stigmatisation sur la scène sociale.

Dans leur vie de tous les jours les trans sont confrontées aux normes de genre de la société tahitienne qui considèrent la transgenralité comme une déviance. Les personnes avec lesquelles j'ai interagi ont conscience de leur marginalisation. De ce fait, elles mettent en place dans les différentes sphères de leur vie des stratégies afin d'éviter d'être stigmatisées. Ces stratégies ne sont pas les mêmes pour toutes. En effet, étant le résultat des interactions et des expériences passées, ces stratégies sont propres aux trajectoires de vie de chacune. Les premiers rapports aux normes de genre lors de la socialisation primaire et secondaire sont importants car ils marquent les débuts des trajectoires trans. Le début de la scolarité symbolise un changement au sein des récits de vie. Sortant de la sphère familiale, les enfants trans sont alors socialisées dans le cadre de l'école. Leurs comportements féminins, confinés dans des interrelations intimes des *fēti'i*, sont dès lors affichés publiquement. Etant catégorisées comme des garçons par l'institution scolaire, elles se retrouvent, pour la première fois, confrontées à la non-conformité de leur comportement et à leur genre masculin. Durant leur socialisation elles apprennent ce qu'est la normalité et l'image que renvoie leur transgenralité. Par la suite elles apprennent qu'elles possèdent ce stigmate et se rendent compte des conséquences qu'il entraine. Elles font ainsi leurs premières expériences de ces conséquences et apprennent à cacher certains traits féminins discréditables.

À la suite de cette première phase d'apprentissage et d'expérimentation, apparaît une révélation. Cette idée de révélation du genre provient directement des discours entendus et enregistrés sur le terrain. Cet événement se passe généralement dans le cadre du collège ou du lycée qui symbolise dans les discours une ouverture aux possibilités de genre. En étant confrontées à d'autres personnes qui ne correspondent pas aux normes de genre, les jeunes trans se rendent compte des possibilités qu'elles ont de faire leur genre hors de la bi-catégorisation normative. Ces révélations naissent toujours de contacts ou de relations avec d'autres collégien.ne.s, d'autres trans, d'autres contextes socio-culturels. Dans tous les récits de vie, les personnes connaissent un événement qui agit comme un mécanisme de révélation. À la suite de cela se mettent en place des stratégies et des logiques individuelles afin de construire et d'affirmer son genre hors de la catégorie qui leur a été assignée au départ.

S'il est plaisant de théoriser les trajectoires de genre des personnes trans comme allant du masculin vers le féminin, il n'en reste pas moins que cette vision est trop simpliste vis-à-vis des réalités vécues. Elles construisent leur genre dès l'enfance à travers leurs comportements et leurs interactions avec le reste de la société. Une fois confrontées aux normes de genre, elles expérimentent des rôles féminins, masculins et trans afin de se construire une identification genrée. Les normes sociales les poussent vers des rôles masculins du fait de leur pénis, qui est perçu comme une preuve physique de leur masculinité. Suivant les contextes familiaux et sociaux certaines persévèrent dans la construction de leur féminité quand d'autres préfèrent s'identifier à un homme efféminé. Qu'importe le choix qui est fait, celui-ci n'est pas définitif. J'ai d'ailleurs noté dans les entretiens que quasiment toutes les personnes trans connaissent des expériences de masculinité, c'est-à-dire qu'au cours de leur trajectoire de vie les personnes trans font au moins une fois l'expérience d'être un homme. Que ce soit pour une journée ou pour plusieurs années, elles essayent de devenir homme. Ces expériences de masculinité peuvent servir par la suite à légitimer la féminité en faisant référence à l'échec de cette expérience masculine et donc à une identité féminine perçue comme innée. Au contraire, il peut arriver que cette expérience de la masculinité soit le début d'une mobilité vers un statut masculin. Les trajectoires de vie de ne doivent donc pas être résumées à la dichotomie femme/homme. Les frontières de genres sont poreuses au cours d'une vie et diverses mobilités peuvent être mises en place suivant les contextes et les temporalités. De plus, les mobilités ne mènent pas automatiquement au statut de femme ou à celui d'homme. Toutes ne souhaitent pas recourir à l'opération dite de réassignation de sexe. Certaines préfèrent être trans, c'est-à-dire ni femme ni homme, ou plutôt homme et femme à la fois. La société tahitienne permettant de concevoir un statut et des rôles trans, chacune peut faire son propre genre sur la scène sociale. En ce sens, les constructions genrées correspondent aux différentes trajectoires individuelles ; trajectoires qui sont construites dans les interactions avec le reste de la société.

Cette recherche a analysé les trajectoires de vie des personnes trans par le biais de diverses thématiques issues du vécu des personnes. J'ai pu ainsi souligner les différents aspects de leur marginalisation. Stigmatisées, elles rentrent dans des carrières déviantes qui les empêchent d'avoir des interactions « normales » avec le reste de la société car elles sont de fait automatiquement discréditées. La transgenralité étant perçue comme une déviance par le sens commun à Tahiti, lorsque les personnes font leur genre, elles construisent de la même manière et au même moment leur stigmate. Plus elles créent leur féminité, plus elles s'ancrent dans la déviance. Dès lors, elles doivent négocier leur genre et concéder soit leur féminité soit leur normalité. Suivant les interactions et le contexte qui y est lié, les concessions et les choix opérés ne sont pas les mêmes. Ce processus simultané de féminisation et de marginalisation est antagonique. Il construit et légitimise la féminité des personnes trans et en même temps il les stigmatise et les déshumanise.

Nous avons ainsi vu les principaux processus de négociation qui impactent les trajectoires de vie des personnes trans. Le *ha'amā*, la honte, joue ici un rôle principal dans ces négociations. La réserve est de mise. Or, en construisant leur genre les trans attirent l'attention autour d'elles. Par peur de la honte et du discrédit qui se propageraient à la manière d'une tâche d'huile, leurs proches ne souhaitent pas que leur stigmate soit révélé. C'est cette peur de la honte qui marginalise les comportements trans. Pour ne pas être assimilées à cette marginalité, les personnes trans négocient de manière individuelle lors de leurs interactions quotidiennes leur légitimité à être féminine et normale à fois. Les diverses stratégies illustrent les capacités d'action des personnes trans dans leur vie quotidienne : elles innovent constamment pour affirmer leur féminité et paradoxalement cacher leur stigmate. Se dessine ainsi les trajectoires trans à Tahiti...

Glossaire

Il est difficile de traduire un contexte social sans faire référence aux termes vernaculaires qui y sont utilisés. Ces mots, issus du contexte tahitien, sont référence aux réalités et au vécu des personnes sur l'île. Il est donc hasardeux de les traduire et de leur donner un sens hors de ce contexte. Afin de les situer aux lecteurs et lectrices, ce glossaire reprend les thermes polynésiens employés dans cette recherche et en donne une définition proposée par l'Académie Tahitienne.

'Aito : *n.c.* Guerrier, héros, combattant, vainqueur.
n.c. Bois de fer.
adj. Courageux, brave, belliqueux, féroce.

Fa'a'amu : *adj.* Adoptif ou adoptive.
adj. Domestique.
v.t. Nourrir, donner à manger.
v.t. Adopter.
v.t. Elever des animaux.
n.c. Brindille introduite dans le trou d'une oreille percée pour l'empêcher de se refermer.

Fēti'i : *n.c.* Famille.
n.c. Personnes unies par la parenté, parents.
v.t. Attacher, lier.

Fiu : *v.e.* Être rassasié·e.
v.e. Être fatigué·e, las.
v.e. S'ennuyer.

Ha'amā : *adj.* Honteuse, honteux, indécent·e.
n. c. Honte, remords.
v.e. Avoir honte, être honteuse ou honteux, humilié, confus, décontenancé.
v.t. Nettoyer.

Māhū : *n.c.* Homme efféminé qui a choisi de vivre parmi les femmes et de partager leurs occupations.
n.c. Homosexuel.

Raerae **:** *n.c.* Travesti.

Tauturu **:** *n.c.* Aide, assistance.
adj. Aide, assistant·e.
v.t. Aider, assister, soutenir.

Bibliographie

Alexeyeff, Kalissa & Besnier Niko

2014. « Gender on the Edge. Identities, Politics, Transformation » in *Gender on the Edge. Transgender, Gay, and other Pacific Islanders* (ed. par Niko Bersnier and Kalissa Alexeyeff), pp. 1-30. Honolulu : University of Hawai'i Press.

Austin, John

1970, ed. originale : 1962. *Quand Dire, C'est Faire* (trad. de l'anglais par Gilles Lane). Paris: Editions du Seuil.

Beaubatie, Emanuel

2017. *Transfuges de sexe. Genre, santé et sexualité dans les parcours d'hommes et de femmes trans' en France*. Paris : IRIS – EHESS.

Becker, Howard

1963. *Outsiders. Etudes de sociologie de la déviance* (trad. de l'américain par J-P Briand et J-M Chapoulie). Paris : Métailié.
2002. *Les ficelles du métier. Comment conduire sa recherche en sciences sociales*. Paris : La Découverte.

Berger, Peter & Luckmann, Thomas

1986, première ed. 1966. *La construction sociale de la réalité* (trad de l'anglais). Paris : Armand Colin.

Bligh, William

2015, première ed. : 1792. *La Bounty. Voyage à la mer du Sud (1787-1789)* (trad. de l'anglais par Paul de Deckker). Paris : L'Harmattan.

Bourdieu, Pierre

2016. *Sociologie générale : Cours au Collège de France (1983-1986)*, vol. 2. Paris : Seuil.

Butler, Judith

2006, ed. originale : 1991. *Trouble Dans Le Genre. Le Féminisme et La Subversion de L'identité* (trad. de l'anglais par Cynthia Krauss).Paris : La Découverte.

Campet, Sophie

2002, *Rencontre du « troisième sexe », le cas du raerae tahitien*, anthropologie sociale et ethnologie, Universtité de Provence.

Connell, Catherine

2010. « Doing, Undoing, or Redoing Gender? : Learning from the Workplace Experiences of Transpeople » in *Gender & Society*.
[En ligne : http://journals.sagepub.com/doi/abs/10.1177/0891243209356429]

Connell, Raewyn

2009. « Accountable Conduct: "Doing Gender" in Transsexual and Political Retrospect » in *Gender & Society*.
[En ligne : http://journals.sagepub.com/doi/abs/10.1177/0891243208327175]

Deutsch, Francine

2007. « Undoing Gender » in *Gender & Society*.
[En ligne : http://journals.sagepub.com/doi/abs/10.1177/0891243206293577]

Dorlin, Elsa

2008. *Sexe, genre et sexualité. Introduction à la théorie féministe*, Paris : Presse Universitaire de France.

Elliston, Deborah

2014. « Queer history and Its Discontents at Tahiti. The contested Politics of Modernity and Sexual Subjectivity » in *Gender on the Edge. Transgender, Gay, and other Pacific Islanders* (ed. par Bersnier Niko and Alexeyeff Kalissa), pp. 33-55. Honolulu : University of Hawai'i Press.

Favret-Saada, Jeanne

1990. « Être affecté » in *Gradhiva*, n°8, pp. 3-10.

Foucault, Michel

1994, première ed. : 1974. *Histoire de la sexualité. La volonté de savoir*. Paris : Gallimard.

Frich, Max

1981. « Notre besoin d'histoire » in *Dossiers Pro Helvetia. Fondation Suisse pour la culture*. Zurich : Pro Helvetia.

Garfinkel, Harold

2002, première ed. : 1967. *Studies in Ethnomethodology*. Cambridge, Oxford, Malden: Polity Press.

Glaser, Barney & Anselm Strauss

2017, première ed : 1967. *La découverte de la théorie ancrée. Stratégies pour la recherche qualitative* (trad. de l'anglais). Paris : Armand Collin.

Goffman, Erving

1963. *Stigmate. Les usages sociaux des handicaps* (trad. de l'anglais par Alain Kihm). Paris : Les Editions du Minuit.

1974. *Les rites d'interaction* (trad. de l'anglais par Alain Kihm). Paris : Les Editions de Minuit.

Kuwahara, Makiko

2014. « Living as and living with Māhū and Raerae. Geopolitics, Sex, and Gender in Society Islands" in *Gender on the Edge. Transgender, Gay and Other Pacific Islanders* (ed. par Bersnier Niko and Alexeyeff Kalissa), pp. 93-114. Honolulu : University of Hawai'i Press.

Lacombe, Philippe

2008. « Les identités sexuées et le "troisième sexe" à Tahiti », in *Cahiers du Genre,* n°45, pp. 177-197.

2013. « Māhū et raerae de Tahiti : de la singularité des contextes locaux à l'universalité des questions sur le genre », *Hermès, La Revue,* n°65, pp.89-90.

Robert, Levy

1971. « The community fictions of Tahitian male transvestities", in *Anthropological Quartely,* n°44, pp.12-21.

Malinowski, Bronislaw

1989, première ed. 1922. *Les argonautes du Pacifique occidental* (trad. de l'anglais par André et Simone Devyver). Paris : Gallimard.

Mazellier, Philippe (dir.),

1978. *Le mémorial polynésien, volume 6 :1940-1961.* Papeete : Edition Hibiscus.

McCarl Nielsen, Joyce, Glenda Walden, et Charlotte Ann Kunkel

2009. « L'hétéronormativité genrée : exemples de la vie quotidienne », in *Nouvelles Questions Féministes,* vol. 28, no. 3, pp. 90-108.

Merceron, François

1988-89. *Dictionnaire illustré de la Polynésie française.* Tahiti : Christian Gleizal/ Ed. de l'Alizé.

Money, John

1955. « Hermaphroditism, gender and precocity in hyperadrenocorticisme: psychologic findings » in *Bull Johns Hopkins Hosp.*, n°6, pp. 253-264.

Montillier Tetuanui, Natea

2013. « Māhū et raerae d'hier à aujourd'hui » in *Hiro'a*, n°30 aout 2013.
[En ligne : http://www.hiroa.pf/2013/08/māhū-et-raerae-dhier-a-aujourdhui/]

Schütz, Albert

1967, première ed. 1932. *The phenomenology of the social world* (trad de l'allemand par George Walsh et Frederick Lehnert). Evanston : University Press.

Scott, Joan

1986. « Gender: a useful category of historical analysis » in *American Historical Review*.
[En ligne : https://www.jstor.org/stable/1864376]

Searle, John

1998, ed. originale : 1995. *La construction de la réalité sociale* (trad. de l'anglais pas Claudine Tiercelin). Paris : Gallimard.

Tabet, Paola

2004. *La grande arnaque. Sexualité des femmes et échange économico-sexuel*. Paris : L'Harmattan.

West, Candace & Zimmerman, Don

1987. « Doing Gender » in *Gender and Society*.
[En ligne : www.gla.ac.uk/0t4/crcees/files/summerschool/readings/WestZimmerman_1987_DoingGender.pdf]
2009. « Accounting for Doing Gender » in *Gender & Society*.
[En ligne : http://journals.sagepub.com/doi/abs/10.1177/0891243208326529]

Zelizer, Viviana

2001. « Transactions intimes » in *Genèses*, n°42, pp. 121-144.

Remerciements

Je remercie toutes les personnes rencontrées à Tahiti qui ont collaboré à cette recherche et qui, je l'espère, trouverons dans les pages à venir le souvenir des moments passés ensemble et le respect de ce qu'elles m'ont confié. Merci pour votre accueil et votre partage.

Merci à Christian Ghasarian, de m'avoir guidée et soutenue dans mon travail depuis les premières idées de thématiques il y a quelques années jusque dans les dernières phases de relecture de ce livre.

Merci aussi à Danielle, qui m'a accueillie, ouvert les portes de son réseau et fait découvrir son île qui lui est si chère. Au-delà de ton aide précieuse, merci pour ton amitié.

Je souhaite aussi remercier l'ensemble des personnes qui m'ont donné de leur temps durant la construction de mes analyses que ce soit lors de discussions, de relectures ou d'échanges.

Table des matières

Préface de Serge Tcherkézoff
Savoir écouter les « Trans » de Tahiti....................7

Bibliographie de la préface.......................................11

Introduction...15

Raerae et māhū : contextualisation de la transgenralité tahitienne...19

Māhū...19

Raerae...20

Ma recherche dans le contexte actuel........................22

Le vécu trans...25

Ami...25

Elsa...26

Hani...26

Ivi...27

Joy...28

Terupe...28

Normes et tensions familiales.......................................30

Les normes familiales.......................................30

Pressions et restrictions.......................................31

Les chef.fe.s de famille.......................................32

Affirmation et dissimulation : être enfant trans à Tahiti...35

Quitter le domicile familial.......................................38

Choix du départ...38

Les relations familiales après le départ 40
Enjeux et relations avec les hommes.................................45
Pratiques et rôles sexuels...45
Actives/passives..46
Homosexualité/hétérosexualité...47
Qu'est-ce qui attire les hommes ?......................................49
Aspirations de couple...51
L'homme comme ressource économique...........................52
Relations sentimentales...54
Fonder une famille ou l'idéal de la vie stable...............56
Influence du partenaire...58
Le réseau trans..61
Le réseau comme ressource en vue de la mobilité de genre.61
Tauturu et réseau d'entraide...62
Course à la beauté...63
Les élections...63
Être la plus belle..65
La concurrence..66
L'image négative des raerae...67
Identification aux raerae comme seule alternative.......68
Les autres trans...69
Eloignement du réseaux trans...70
Aider les raerae...71
La difficulté d'aider les trans à avoir une vie normale.71
Changer les perceptions collectives..............................73
Activité professionnelle : entre émancipation et barrière de genre...75
Le marché de l'emploi..75

Soucis administratifs..75
Les carrières professionnelles trans............................76
Discriminations sur le marché du travail....................77

L'emploi libérateur...79
Rapports professionnels...80

Féminité sur le lieu de travail....................................80
Rapports aux supérieures...82

Comprendre la transgenralité locale....................87

Performer son genre...87

L'ethnométhodologie pour comprendre la routine de la transgenralité à Tahiti..87

Le cas d'Agnès...89

Doing Gender pour comprendre comment sont catégorisées les personnes trans à Tahiti..................................91

Sex...91
Sex category..91
Gender..92
Doing Gender..93

La performativity pour comprendre comment se construit la transgenralité tahitienne..95

Stigmate et déviance sociale...99

Le stigmate pour comprendre la marginalisation des personnes trans à Tahiti..99

L'identité sociale...99
L'identité personnelle...101
L'identité en soi..102

L'étude des carrières dites déviantes pour comprendre le vécues des trans tahitiennes...103

Épilogue..**109**

Glossaire..**113**

Bibliographie..**115**

Remerciements..119

Dépôt légal : Novembre 2019

pour le compte des éditions ‘Api Tahiti
contact@apitahiti.com

Made in the USA
Middletown, DE
22 September 2021

48857771R00071